河出文庫

ひとり日和《びより》

青山七恵

河出書房新社

目次

ひとり日和《びより》 7
出発 171
解説 野崎歓 199

ひとり日和《びより》

ひとり日和《びより》

春

雨の日、わたしはこの家にやってきた。

その部屋には、立派な額縁に入れられた猫の写真が鴨居の上に並んでいた。入って左の壁から始まり、窓のある壁を通り、右側の壁の半分まで写真は続いている。数える気にもならなかった。猫たちは、白黒だったりカラーだったり、そっぽを向いていたり、じっとわたしを見つめていたりする。部屋全体が仏壇みたいに辛気くさく、入り口に立ちつくした。

「これ、いいわね」

後ろからかぎ針編みの薄いマフラーをひっぱられて振り向くと、その小さなおばあさんは、編み目に顔を近づけて目を細めていた。

蛍光灯のひもをひくと、コッコン、と音がして白い光が部屋に広がる。窓を開けた彼女の横に立てば、小さな庭の垣根の向こうにひとつ細い道を挟んで駅のホームが見えた。弱い風が吹いて、霧雨が顔をなでる。

わたしたちはしばらく黙って窓辺に立っていた。カンカン、と警報機が鳴り、アナウンスが始まった。

「電車が来る」

そう言ったおばあさんの顔は、青白く、深いしわが目立ち、わたしは数歩後ずさった。

「ここ、あなたの部屋ね」

言い残して、そのまま行ってしまった。

あの人、もうすぐ死にそう、来週にでも。

そう思ったのを覚えている。


この家に来たとき、わたしは自分の名前を名乗らなかった。名乗ったり呼ばれたりすることがほとんどなかったので、名前を言うのが恥ずかしかった。


小さな駅を出てから、母に持たされた地図を頼りにわざとゆっくり歩いた。

霧雨で髪の毛がしっとりとぬれ、頬に張り付く。マフラーをきつく巻いて、冬物の毛糸のカーディガンを着ていても、まだ肌寒かった。四月も半ばを過ぎたのに、今年は一度も暖かい日がない。道端でボストンバッグを下ろして折りたたみ傘を探したが、ぎゅうぎゅうに詰めた服や化粧品のポーチにまぎれて、傘は見つからなかった。中をひっかきまわした拍子に、最後に入るだけ詰めてきたポケットティッシュが歩道に散らばった。

母の地図は、地図帳をそのまま写したかのように一本一本の路地が細かく記されている。地図の下に、昔っぽい丸文字で北口の商店街をまっすぐ行く、とか、接骨院のある角を左に曲がる、とか、馬鹿ていねいに文章でも順路が説明されている。なんだかんだ言ってもわたしが心配なのか、と鼻白んだ。もうハタチになるのに、いざ一人になると心細く感傷的になるような、ナイーブな年頃だと思われている。わたしが寝たあとの薄暗いリビングでこれを書きながら、母の愛情ってこんなふうだと思ったんだろうな、なんて、わたしは心の中で笑った。

湿気でふにゃふにゃになったわら半紙を、親指を平たくしてこする。文字がにじむ。手のひらで何回かこすると、ただの灰色の染みのようになった。

母とは今朝、新宿駅で別れた。元気でねえ、と彼女はわたしの頭や肩に触れた。どこを見ていいのかわからず、わたしは尻を掻きながら、うん、うん、と繰り返すだけだった。行き交う人たちは、改札のまん前で立ち止まっているわたしたちに容赦なくぶつかってくる。そしてにらむ。迷惑じゃないところに移動しようとして母の腕に触れると、彼女ははっと身を固くした。気付かないふりをして、改札の電光板に目をやる。何か言おうとする母を振り切るように、「じゃ、がんばってね」と手を上げると、わたしは小走りで改札を抜け、階段を降り、電車に乗り込んだ。電車が動き出してからも背中に母の視線を感じていた。

駅から歩くあいだ、三人連れのおばさんとすれちがった。デパートに買い物にでも行くのか、ひらひらの白いブラウスにしっかり肩パッドのついたジャケットを着込み、車道にはみ出しながらも足並みそろえて歩いていく。すれちがいざまにきつい香水の匂いがした。嫌ではなかった。人工的で、甘くしつこく、懐かしい匂い。急にさみしくなる。いつだって、懐かしさのあとにはこの心細さがやってくる。おばさんたちの履いているあの上履きのような靴はいかにも楽そうだ。ふと目をやったら、すぐそばの靴屋に同じような靴がいくつも並べてあった。

接骨院の角を曲がり、いくつか細い路地を通り、突き当たったところにわたしの目指す家はあった。塗装がはげた門には、郵便受けがわりの赤いかごがぶら下がっている。この家は駅のホームの端と向かい合わせにあるくせに、わざわざ商店街のほうから回り道をしてこなくてはいけない。ホーム沿いに道はあるけれども、敷地が垣根で囲ってあるせいで、そこから入っていけないらしい。

表札はなかった。門の奥には、庭へ出る小道が続いている。土しか入っていない大小の植木鉢がその道の半分を占領していた。家の外壁も門と同様ところどころ塗装が落ち、赤っぽかったり黒っぽかったり、まだらだった。玄関の脇には灰色の水道台が備え付けてあり、バケツがいくつも積み重なっている。その反対側には平屋の屋根をかすめるほどの大きな椿の木が植えてあるが、これは妙に立派だった。深緑色の葉が霧雨に濡れて、光っている。大ぶりのピンクの花があちこちに咲いている。椿ってこんな時期に咲くのだろうか。

行きたくないな、と思った。実感を込めて、声に出してみた。声に出すと、とたんに嘘くさくなる。どちらでもない気がした。行きたくないとか行きたいとかそんなのはどうだってよく、行けと言われたから来たのだ。東京で暮らせるのであれば、なんだってよかった。

部屋に案内してから、おばあさんはわたしにお茶を出し、先に届いていたダンボールの荷物をほどくのを手伝ったり、洗濯機を回したり、ご飯を作ったり、風呂をわかしたりした。荷物をほどくあいだ、わたしたちはあたりさわりのない天気の話とか、このあたりの治安についての話をした。わたしは話を盛り上げようとはしなかった。ダンボールから衣類を取り出して、伸ばし、またたたんでいくおばあさんの背中を見て、いたわってやらねばいけないんだろうな、と苦々しく思う。

お互い口数が少なくなってきて、もやもやした違和感が漂い始めたころ、彼女は部屋を出ていった。わたしは腹から息を吸って、空に吐き出した。そして食事に呼ばれるまで、ずっとその部屋にいた。


夕食は質素で、量が少ない。

「お代わり、いる?」

「あ、ありがとうございます」

茶碗を差し出したら、てんこもりになって返ってきた。

「食べられるっていいわねえ」

「はあ」と言ってわたしは受け取り、食べる。もう少しおかずがほしい、と思っている。

「わたしだって食べるわよ」

そう言って、彼女は自分の茶碗もてんこもりにした。おしんこをかじりながら、また「はあ」と答える。

「テレビ、つけようか」

リモコンを操るその手のしわを、じっと見てしまった。

「おもしろくないわね」

ザッピングの末に画面に映ったのは、ナイター中継だった。おばあさんは、画面をぜんぜん見ないで食事を続けた。この歳になると、見ることより聞くことのほうが楽しいのだろうか。

彼女は、くちゃくちゃ音を立ててものを噛んだりせず、静かに食べる。わたしは老人の暮らしを知らないが、どんなジェネレーションギャップにも動じないでいようと決めていた。が、意外とふつうなのだった。デザートには手作りらしいコーヒーゼリーが出た。うずまき状にスジャータをたらす動作など、慣れたものだ。

食後は電源をつけていないこたつに入ったまま、ぼんやりテレビを眺めたり、持ってきた本を読んだりしていた。最初の夜には、何を話せばいいのか。本を開きながら、何べんも同じ行を繰り返し読んでしまう。

今日からこの人と暮らすという気がしなかった。自分からやってきたくせに、夕食まで近所の家に預けられた子どものように、どう考えても居心地が悪い。

テレビでは、アナウンサーが興奮したようすでさかんに何か叫んでいた。

「知寿ちゃん、野球、好き？」

名前を呼ばれてはっとした。久しぶりに呼ばれると、ひやひやする。いやな予感がする。

「あんまり、よく知りません」

「あらあ、そうだったの」

わたしが気まずそうに笑うと、

「好きかと思って」

とあっさり電源を切った。そして、かっぽう着のポケットから毛糸と編み棒を取り出して、何か丸いものを編み始めた。

菓子皿にはカルパスが山盛りだ。お腹はふくれているけれど、この沈黙と手持ち無沙汰に耐え切れずしょうがなく食べる。口の中がしょっぱい匂いでいっぱいになる。猫が近づいて鳴くと、彼女は口に入れていた一本を手のひらにぺっと出して食べさせた。

「ごめんねこんなおばあちゃんで。荻野《おぎの》吟子《ぎんこ》と申します」

突然、あいさつが始まった。わたしは会話を途切れさせまいとして、間髪容れずそれを受けて続けた。

「あ、わたしは、三田知寿と申します。今日から、お世話になります」

「お風呂、先いただいていいかしら……」

「えっ」

「いちばん風呂が好きなのよ」

「あ、はい。どうぞどうぞ」

「じゃ、失礼」

彼女が部屋を出ていくと、わたしはその場で横になった。あまりかしこまった人でないのかも、と思うと少しだけ気が楽になる。あれこれもてなされるより、ただの居候の娘だと思ってくれたほうが、やりやすい。彼女に向けたあいまいな笑顔がまだ顔に張り付いているようで気持ち悪く、思いきり両手で頬をひっぱった。さっきカルパスをもらっていた茶色い猫が、部屋の隅から警戒するようにこっちを見ている。

風呂場からお湯をかける音が聞こえると、わたしは台所を手始めに、とりあえず目に付いた引き出しを開けていった。どの引き出しにも物がぎっしり詰まっていない。適度にすかすかしている。流しの下の引き出しなど、菜箸が二膳入っているだけだった。床下収納には、自分で仕込んだらしい梅酒の大瓶が三つ入っていた。赤いふたの上に、マジックで平成七年六月二十一日と書いてある。

ついでに、わたしにあてがわれた部屋の向かいにある彼女の部屋にも入ってみた。茶色いチェックのカーテンの脇に、色あせた千羽鶴がくくってある。近づいてみると、ちらしの裏か何かでつくったものらしかった。手のひらでざっと揺らすと、埃が舞った。隣に小さな仏壇があったけど、そこはあまり見ないようにした。

小さな洋服箪笥の上には、ガラスの戸棚がのっている。昔の車や東京タワーのミニチュアや、どこかの城の模型がぎっしり並んでいる奥に、ロシアの人形があった。名前は忘れたが、人形の中にさらに人形、というやつである。ソビエト時代に出張した叔父がお土産に買ってきたことがあるので、見覚えがある。

これが老人の暮らしかあ。腕を組んで眺め回していると、風呂場の戸がジーと開く音がした。わたしはガラス戸を開け、いちばん手前にあった木製のピエロ人形をつかんで、部屋に戻った。電車がホームに入ってくるのを窓辺で待ちながらぶらぶら揺らしていたら、さっそく首が胴体からはずれた。

淡い草色の畳に転がり、鼻をこすりつけるようにして思いきり匂いをかぐ。横には、清潔そうな布団がもう敷いてある。

仰向けになって、鴨居に並べられた猫たちの写真を順ぐりに眺めた。勝手に名前を付けて遊んでみる。ミケ。ブチ。クロ。マダラ。チャミミ。アカハナ。コブトリ。数えてみたら、二十三枚あった。この猫ら、なんなんだろう。案内されたときも、夕食のときも、なんとなく聞けなかった。

目を閉じて、これから続いていく日々を思った。


「ばあさんと暮らすことになった」

陽平は、画面から目を離さずに「あっそ」と言うだけだ。パソコンで麻雀をやっている。ポンとか、チーとか、わたしには全く意味のわからない言葉に「くそ」だの、「まじ」だの、一人で興奮している。

二週間前に吟子さんの家に引っ越してから一度も会っていなかったのだが、それでも陽平は、さっき別れたばっかじゃん、という顔でわたしを迎えた。彼女の家からここまでは電車を三本乗り継いで一時間半ほどかかるので、なんとなく面倒になって足が遠のいていたのだ。ただ、その面倒くささを振り切ってここまで来た自分のけなげさについて、何か言ってほしかった。

「どうしてここで暮らしちゃいけないの」

背中をつねってみても、頭をがさがさとかきあげてみても、耳をなめてみても陽平は無反応だった。

「うるさいって思ってるんでしょ」

「ああ?」

最高に面倒くさそうだ。顔も見やしない。

「いいもん帰るから。ばあさんが待ってるから!」

バッグをつかみ取ってばたんとドアを閉めても、なんの気配もなかった。携帯電話を片手にしばらく待っていたが、春風の冷たさと敗北感から逃げるように駅まで走って帰った。

駅前の桜並木で、白い花びらがこちらに散ってくるのがうっとうしい。春なんて中途半端な季節はいらない。晴れていてもなんだか肌寒い日ばかりで、じらされているようなのが気に障る。冬が終わったらいきなり夏が来ればいい。花見がどうだとか、ふきのとうや菜の花や新たまねぎがおいしい、なんて聞くと、浮かれるなと怒鳴りたくなる。自分はそんなものには踊らされない、と無意味に力んでしまう。

花粉症の薬のせいで、何度つばを飲んでも喉が渇き、余計にいらいらした。鼻水をすすりあげると、なんだか血みたいな味がする。

陽平とは付き合って二年半になるけれども、外に出てデートもしないし、去年は誕生日のプレゼント交換もしなかった。わたしたちはたいがい部屋で一緒に過ごすが、何かの話題で盛り上がることもなければ、派手なけんかをすることもない。空気のような存在といえば聞こえはいいが、わたしたちの場合、お互いあってもなくてもどっちでもいい、というのが空気とは決定的に違うところだった。別れる理由も、そのやり方も知らないが、いい加減終わりは近づいてきている気がする。どうせ終わるなら自然の流れに沿いたい。自分からその時期を早めることはないだろう。

彼は高校の先輩だった。今は、大学でシステム工学というのを勉強しているらしい。あまり真面目な学生でなく、部屋でゲームばかりしている。わたしはその後ろ姿を眺めながら、本を読んだり、空想にひたっていたりする。彼のほうでゲームがひと段落すると、わたしたちはセックスをする。技巧に走らない、若々しいやつだ。

三回に一回ほど、わたしは拒む。

家に帰ると吟子さんはこたつで刺繡をしていた。この家のこたつ布団は異様にぶ厚い。毛玉だらけのベージュの毛布の上にもう一枚茶色い毛布、その上にさらに赤い羽根布団を重ねている。

「帰りました」

「あ、おかえり」

吟子さんは鼻までずりさがった老眼鏡を元の位置に戻して言った。陽平とのみじめなやり取りを押し込めるように、わたしは感じよく笑って、ジャケットを壁のハンガーにつるした。

「ようかん食べる?」

「あ、いただきます」

吟子さんは「よっ」と小さくかけ声を入れて立ち上がった。やかんを火にかけてからは、椅子の背に左手、腰に右手を当てて静止している。わたしもその隣に立って、流しの小さな窓から向こうの路地のようすを見るともなく、見た。あまりに変化のないその眺めに、つい気がゆるんで呟いた。

「いろいろ、うまくいかないですね」

「ええ?」

説明するのも面倒くさく、あはは……とあいまいな笑いでごまかした。吟子さんもふふ、と笑った。

台所のテーブルの隅には、食べかけの長いようかんがセロハンから半分むき出しになって放置されている。

「わたし、ようかん切りましょうか」

「だいどころで　ふっとうしている　おゆのかなしさ」

「はい？」

「これいいでしょ」

「なんですかそれ」

「これね、姪が中学生のときに学校で三番を取った俳句」

「だいどころで……？」

「だいどころで　ふっとうしている　おゆのかなしさ」

「台所で沸騰しているお湯の悲しさ。ですか。なんかさみしいですね」

果物ナイフでようかんを切る。かまぼこのように、うすく、均等に。ふっと心が軽くなる。何事もこんなふうに、静かに、かっきっぱり、余韻などなく、決着をつけられたら楽だろうなあ、と思う。

吟子さんは先ほどと同じポーズで動かずにいた。

彼女は小さく、やせていて、柔らかいくせのある白髪を伸びるがまま、という感じで肩に下ろしている。

黄土色の厚手のかっぽう着を着ていて、いつも背筋をしゃんとしている。ていねいに、きゅっと握ったおにぎりのような印象の人だ。腹の前のポケットには、編み棒とどぶのような色の毛糸が入っており、あの茶色い猫も、ときどき入っている。この猫はチャイロという見た目そのままの名前の仔猫で、もう一匹、クロジマという名前の黒じまの猫がいる。二匹の猫は、きょうだいでもなんでもない。

お茶が終わると、吟子さんはまた刺繍を始めた。刺繍は昼、編み物は夜、と決めているそうだ。手元を覗き込むと、スリッパだった。

「スリッパですか」

「そう。知寿ちゃん、このうさぎ好きって言ってたでしょ」

そういえば、このあいだの晩ご飯でそんな話をしたような気がする。さっそく近所の洋品店でミッフィーのスリッパを買ってきて、わざわざ本物の隣にもう一匹同じように縫いこんでいるらしい。

「ダブル」

「え？」

「ダブルね」

「はい……」

出来上がった右足を見せてもらうと、吟子さんの刺繍したミッフィーは、本物よりやせていて、目も口も小さく、不幸そうだった。

「あの猫、みんな飼ってた猫ですか？」

思いきって、聞いてみた。

「猫？　何の猫？」

「わたしの部屋の猫です。写真の」

「ああ、あれね、あれは、チェロキーの部屋ね」

「え？」

「あそこに飾ってあるのは、みんなチェロキーの写真」

「あ、死んだ猫って意味ですか？」

「いや、まあ、そうねえ……」

「……」

「名前を忘れるから」

「忘れちゃうんですか。はあ……」

「悲しいよねえ。ただ、最初に飼った猫がチェロキーっていって、それは忘れないのよ。姪っ子が拾ってきたんだけどねえ」

まった、気がする。ははは、と笑って流してみたが心はおだやかでなかった。薄暗いところを知ってし

お年寄りは早起きだと思っていたが、そうでもないらしい。吟子さんのほうが遅く起きる日もある。わたしは、玉子焼きや味噌汁など台所を使う料理はせず、そのへんにあるロールパンや紅茶などで朝食を済ませる。吟子さんのぶんは用意しない。とはいえ、彼女が先に起きたときには、わたしのぶんの食事はちゃんと用意してくれる。温めるのは自分でやる。作りおきのおかずに吟子さんはラップをかけず、たいていそのへんにある皿でふたをしている。どの料理も、母のそれより味が薄かった。味噌汁は、煮干しでだしをとっているらしかった。

わたしの世話をあれこれしてくれたのは最初の晩だけで、今ではほとんどほったらかしにされている。食器洗いは二日三日放置することもあるし、掃除機をかけるのも面倒らしく、猫の毛があちらこちらに落ちている。しばらく見て見ぬふりをしていたものの、このあいだ思い立って家中を掃除してみた。特に礼を言われることはなかった。なんだかすっきりしなかったのだが、そんなもんか、で済ませてしまった。それだけ関心がないのかと思うと、余計に力が抜ける。

庭の手入れもそれほど熱心ではなかった。タンポポやヒメジョオンなどならまだか

わいいが、得体の知れない雑草が、庭の隅からどんどん芽を出している。夏には大変なことになるだろう。同時に、冬になり、色あせて茶色くなった雑草が手付かずに広がっている光景も目に浮かんだ。庭の端にはキンモクセイの木があり、吟子さんはそこに物干し竿の片方をくくりつけていた。

家にいると、電車の音やアナウンスの声が絶え間なく聞こえてくる。快速や特急が通るたびにガラス戸ががたがた揺れるが、もう慣れた。フリーターと老人の家にはこれくらい喧騒があったほうがいい。朝歯を磨くときには、縁側に立って、腰に片手を当てて電車を見送る。ときどき電車の中の人と目が合うが、きっとにらみ返すとすぐ目をそらされる。

吟子さんの家から見えるのは、新宿に向かう電車の一番後ろの車両だった。この駅には改札がひとつしかなく、それも家とは逆の端にあるので、こちらまで移動して電車を待つ人はほとんどいない。垣根とホームのあいだの小道は家の前で行き止まりになっていて、ときどき道慣れない人がやってきては、不思議そうにあたりを見回してもときた道を帰っていった。

ここに来る前は、母と暮らしていた。父と母はわたしが五歳のときに離婚し、それ以来ずっと母と二人暮らしだ。父親がいないということで、自分をかわいそうに思っていたときもある。不良少女の道も歩みかけたが、どうすればいいのかいまいちわからなくて、よした。自分の不機嫌の理由を親のせいにしようとしても、話がややこしくなるのが面倒で、全てうやむやにしたまま思春期は終わってしまった。

仕事で福岡に行った父とは、もう二年近く会っていない。向こうから会いにくるなら顔を見せるつもりでいるが、自分からわざわざ訪ねていこうとは思わない。

母は、私立の高校で国語を教えている。今度中国へ行くことになったのもその関係だ。先生同士で、交換留学みたいなことをやるらしい。

母が中国に行く話は、去年の暮れからあった。高校を卒業してからアルバイトを転々としていたわたしもお誘いを受けた。

「来たい？」

銀紙をめくっただけの板チョコを歯で割りながら、母は聞いた。

「いや、いい」

「来なさいよ」

「やだよ」

「一人でどうするの」

「東京に行きたい。で、仕事を見つける」

言ったあと、恥ずかしくなってポットのお湯を空のマグカップに注いだ。母は順番逆じゃない、とインスタントコーヒーの瓶を差し出して言葉を続けた。

「東京も埼玉も大して変わんないわよ」

「変わるよ」

「ここからだって通えるじゃないの」

「二時間もかけて？　無理だね」

「東京なんて、何を今さら」

「いや、東京に行く」

「お前みたいな世間知らずの田舎者が東京に行ったって、疲れて帰ってくるだけだよ。物価も家賃も高いし」

「さっき変わんないって言ったじゃん。いや、あたしは行くよ、お母さんが中国に行っても行かなくても、今年あたり出ようと思ってたから、ちょうどいい。もう成人だし。あれこれ言われる歳じゃないし」

ひといきに言いきって、母をじっと見据える。彼女は少し間をおいて、言った。

「あんたって、甘いわね」

何も言い返せないでいると、母は勝ち誇ったようにばりっとチョコレートに噛み付いた。わたしはなんでもないような顔をして、耳の後ろをいじり始める。

「悪いけど、残るんならほんとに自分で稼ぐか大学に行って。お母さんもできるところまでしか助けないよ」

「え、なんで大学……」

「それ、条件ね。大学に行くなら、ちょっとは資金援助してあげる」

勉強はしたくなかったので、「じゃあ自分で稼ぐ」ときっぱり告げた。母はしばらく文句を言っていたが、わたしが黙ったままでいると、いつの間にか「あんたがやる気なら止めないわ」という話になっていた。しまいには、都内に一軒家を持っている人がいるから一応それだけは紹介してあげる、と駅前の不動産屋みたいな顔で言う。こういうのって母親としての愛情なのか、遠まわしの牽制なのか。変なの、と思いながら、わたしはぬるいコーヒーをすすった。

「そのおばちゃんね、あたしも若いころ何回か会ったきりだけど、金沢の親戚の中じゃちょっと有名で、東京に出てくる娘は、とりあえずみんなその人のとこに世話になるのね」

「何それ。東京の母ってやつ」

「親だって不安じゃない？　いきなり大都会に子どもを放り出すのって。お金もかかるし。うるさくないし、いいおばちゃんだよ。今はもうおばあちゃんだろうけど」

「ばあさん一人？」

「そう。若いころだんなさんを亡くしちゃったんだって」

「お母さんは住まなかったの？」

「それがね。お母さんもこっちに来たばっかりのころ、その人の家に行くはずだったから、あいさつはしにいったけど猫くさいのが嫌でさ。お父さんの家に転がり込んじゃったのね」

「猫くさいの、その家？」

「あのとき、あたしが行くのちょっと楽しみにしてる感じだったんだよねえ。おばちゃんも一人じゃさみしいだろうしさ、ちょうどいいじゃない。連絡するだけしてみるわ」

「そんな、いきなり迷惑じゃん」

「だめもとよ。親戚だし。年賀状も出してるし。去年はせんべいも贈ったし。覚えてない？　名古屋の叔父さんがいかせんべい山ほど送ってきたじゃない、あのときおすそわけしたの、おばちゃんに」

母は立ち上がって、住所録を探しにいった。テレビ欄を見ようと彼女の手元にあった新聞をひっぱったら、こぼしたチョコのかけらがテーブルの上に散らばった。母が座っていた椅子のほうにささっと手で払った。

次の日、バイトが終わって携帯をチェックすると母からメールが来ていた。「おばちゃん、住んでいいって」とあったので「じゃあ住む」と返した。東京でアパート借りるのには、何十万円も必要だということを聞いていたし、大家さんとかガスとか水道の手続きとかいろいろ面倒くさいだろうな、と思ったのだ。母は母で、自分がすっぽかした同居の約束を娘に託すことで、忘れかけていた罪悪感を清算したかったのかもしれない。

そのおばちゃんというのは母方の祖母の弟の奥さんで、歳は七十を過ぎているという。わたしの何にあたるのかはよくわからなかった。

母は彼女のことをおばちゃんと呼び続けたので、わたしが吟子さんという名前を知ったのは、もっとあとになってからだった。

「大学に行くんだって？」

言われて、ぎくりとする。吟子さんは老眼鏡のつるに手をかけて手紙を読んでいる。丸くて筆圧の高い母の文字が、裏から透けて見えていた。

一ヶ月経ってやっと初めてのエアメールだ。住民票を移しに区役所に行った帰り、ピザハットのちらしと『すながやすこの区政レポート』と一緒に門の赤かごに入っているのを、わたしが取ってきた。

「お母さんが書いてるけど」

「そうですか……」

「お勉強する?」

「しません」

「お勉強……」

「お勉強は、しません」

わたし宛の便箋は、お膳の隅にほっぽらかしてある。会話はテレビの画面に吸い込まれていくようだ。テレビでは、築地市場の安くて新鮮なお寿司屋さんの紹介をし始めた。わたしも吟子さんも、さっきからそっちが気になっている。

「ああお寿司食べたい。吟子さん、お寿司好きですか」

「そうだねえ。でも、しばらくお寿司は食べてないわね」

「これ、行きません、明日?」

「明日?」

「朝七時からだって」

「あんまり早起きはねえ……」

「面倒くさいですか?」

「そんなことないんだけどねえ」

「……やっぱ、朝七時はちょっとあれですよねえ」

ぬれせんべいをくわえたまま、そんなことないんだけど、と否定はするけれども、行きたくはなさそうだった。何かもう一言付け足しそうな感じだったので、顔を見て返事を待っていたのだが、いつの間にか会話は終わっているらしかった。

二人でいるときの沈黙は、やはり気になった。あまりに沈黙が長いと、なんだか申し訳なくなってしまう。食事が終わって短い会話を交わしたあと、沈黙に耐えられなくなると、わたしは黙って席をはずすか、テレビに集中しているふうに目を凝らすか、横たわって眠いふりなどをする。

「バイト行ってこようっと」

わざと元気よく立ち上がって、出かける準備を始めた。

この家に来た次の日に、わたしはコンパニオンのアルバイト派遣所に登録を済ませ、精力的に仕事に励んでいた。陽平に会いにいくのが面倒なのも、このせいということにしておいた。また二週間ほど顔を見ていないが、特にさみしくもない。

アルバイトでは二時間で八千円もらえる。宴会の席でお酒を注いだり、サラダを取りわけたり、おじさんとデュエットする仕事だ。お金はたくさんもらえたほうがいい。来年の春までには、百万円くらい貯まるだろうか。陽平のことよりも、貯金通帳に記されたその数字を想像すると、笑いがこぼれてしまうくらい、楽しみだ。

今日の宴会は、七時からだった。ということは、五時半には調布の事務所に集合し、着替えと化粧を済ませ、打ち合わせや会場準備をしなくてはいけない。吟子さんには、コンパニオンのアルバイトのことは言っていなかった。おばあさんに横文字言葉などわからないだろうと思い、宴会場の皿洗いみたいな仕事、ということにしている。本当のところをわかりやすい言葉で説明すれば、いかがわしい仕事だと思われそうだ。いろいろ弁解するのも面倒くさいし、どっちにしろお金が貯まったら出ていくつもりなのだから、期間限定で波風立てず楽しく過ごしたい。

猫たちは、なかなかわたしになつかない。

クロジマは雑種の黒いしま猫で、蛇のうろこみたいな、照りのいい毛並みをしている。目玉が黄色く、尻尾も立派で、野生の匂いがぷんぷんするようだ。ときどきねずみをとってきて人間の前でなぶり殺している。吟子さんはやめなさい、と手で払うふりをする。飽きられて死んだねずみはいつまでも畳の上に転がったままなので、夕飯前に庭の隅に埋めてやる。本当は気が進まず、わざと気付かないふりをしているのだが、腰を上げるのは結局わたしだ。「ねずみが死んでるよ」と彼女を横目でにらむときには、なぜか（勝った）と思う。今までは、誰がこの役目を果たしていたのだろう。猫が勝手に始末するわけでもないし、吟子さんがどうにか処理したのだろうか。ねずみを埋めることぐらい、わたしはなんともない。が、茶色い血があちこちにこびりついた体をティッシュでくるむ一瞬は、腕に鳥肌がざあっとたつ。歳をとったら、もっと鈍感になるものだろうか。

もう一匹のチャイロは、うす茶色の毛がふさふさとして、首には小さな鈴を付けている。まだ小さいので、吟子さんは気が向くとこの猫をポケットに突っ込んでいた。かっぽう着の中からか細い鳴き声を聞くと、猫のほうでは嫌がっているのではないかと思うのだが、注意するのも面倒くさく、遠くから哀れむだけで終わっている。

この猫たちも、ゆくゆくはわたしの部屋に飾られ、他のチェロキーたちのあいだに埋もれていくのだろう。

一緒に暮らしてまだ一ヶ月と少しだが、あのおばあさんには少し薄情なところがある気がしていた。金沢から出てきた娘たちを居候させてきたといっても、今となってはそのうちの何人を覚えているだろう。自分もそんな娘のうちの一人として忘れられるのかと思うと、なんだかむなしくなる。年寄りの気持ちってわからない、とため息をつきそうになるが、すぐあとに続く、どうでもいい、という言葉で息は引っ込む。

吟子さんのような弱々しいおばあさんにどう思われようが、たいした問題ではなかった。あれほど歳をとってしまったら、もう大雑把な感情しか持っていないのだろうなあと、ぼんやり思っていた。

しばらく暖かい日が続いていた五月の終わりごろ、突然雨が降り出した。春のこういう未練がましさが最後まで気に入らないんだ、と腹を立てていたら、同時に吟子さんの具合が悪くなった。一日布団に入って寝ている。

「大丈夫？」

枕元に正座して聞いた。

「大丈夫」

「医者、行ったほうがいい？」

「いや、いいよ」

「医者って、呼べば来るものなの？　呼びますか？」

「……」

「薬、飲んでる？」

「飲んでない」

「常備薬、ないんですか？　いつも医者にもらってるやつとか」

「ネギを首に巻いて寝てれば治る。あれこれしなくていいのよ。これで治るから」

「何それ……」

どうりで、部屋がネギくさかった。枕元でそっと覗くと、生のネギを叩くか何かして、タオルで首に巻いているらしかった。

吟子さんはもう何も答えなかった。わたしは内心、はらはらしていた。この人、ほんとに死ぬかもしれない。具合の悪い老人をどうすればいいのか、わたしは何も知らなかった。

その晩は、一時間ごとに巡回に来ることに決めた。ふすまの隙間から覗くと、規則正しい寝息がかろうじて聞こえる。部屋は依然としてネギくさく、それに混じってかいだことのない匂いがしていた。これが病人の匂いというものだろうか。

夜中の三時、目をじゅうぶん暗闇にならしてから、静かに彼女の枕元に座り、本当に寝ているかどうか確かめた。顔の前に手をかざすと、かすかに湿った息が感じられる。

わたしは立ち上がり、箪笥の上のガラス戸棚に顔を近づけて中身を観察した。どれもこれもちゃっちいがらくただけど、おばあさんにとっては何か意味があるんだろう。帰り際、吟子さんの枕元にある鏡付きの籐の小箪笥を開けてみた。手を突っ込むと、紙や冷たいプラスチックの感触の中で、手触りのいい布で覆われた小さな箱に行き当たった。そっと取り出してポケットに入れた。吟子さんの寝息はまだ続いていた。

流しの電気をつけて、台所で一杯水を飲む。口からあふれた水がパジャマの胸元までつたっていく。外ではまだ雨が降っていた。目を閉じて雨の音を聴く。なぜかテレビで見た怖い映画を思い出してしまい、ぶるぶると頭を振った。

　意識が幽霊のことに向かないように、先ほどの小箱を電気にかざして眺めてみる。緑色の別珍の箱だ。真ん中に白い糸で小さなばらの刺繡がしてある。開けてみると、ネックレスだった。緑色の小さな石がついているけれども、流しの蛍光灯の下では少し安っぽく見えた。首にかけてみても落ち着かないので、元通り箱にしまって部屋に帰ろうとしたとき、コップが二つ流しに置いてあることに気付く。自分で水を飲みにくることはできるのだな、と思った。なんとなく炊飯器を開けてみたら昨日のたけのこご飯が入っていたので、ラップに包んで冷凍庫にしまった。

　部屋に帰ると、わたしは押入れから靴箱を取り出して、最初の晩にとってきたピエロ人形の脇にネックレスを箱ごと突っ込んだ。その中には、鉛筆だのアヒルのクリップだの、どうでもいいものばかりが所在なげに転がっている。


　小さいころから、わたしは手くせが悪かった。

といっても、売り物を盗むような勇気はなく、たいてい周りの人の持っているちょっとしたものを狙ってコレクションに加えていくことが、幼いながら快感だった。新品のペンケースやスニーカーなどではなく、消しゴムや、絵筆や、クリップなど、取るに足らないどうでもいいようなものを集めていた。記念写真を撮るような気持ちで、床に落ちていたり、机に放置されているそれらの小物を制服のポケットに忍ばせる。盗んでいるわけではない、回収しているだけだ、と思い込んで、罪悪感を消す。誰も気付かない、ということがいっそう快感だった。同時に、どうしてこんなに皆が不注意なのか、腹立たしくさえあった。

そして今でも、ときどきそのくせが出てしまう。収集したがらくたたちは空の靴箱に入れてとっておく。今、部屋の押入れの奥にはそのたぐいの靴箱が三つ入っている。

折に触れて、わたしはその箱を見返してみて懐かしさにひたった。そして、かつての持ち主と自分との関係を思い出して、切なくなったりひとり笑いをしたりする。その中の何かを手に載せていると、ふしぎと安心できるのだった。

そして、一通り思い出を楽しんだあとには、こそ泥、意気地なし、せせこましい、などと自分をののしり自己嫌悪に陥ってみる。そのたびに一皮厚くなっていく気がする。

誰に何を言われようが、動じない自分でありたいのだ。

これはそのための練習なんだと、靴箱のふたを閉めながら言い聞かせていた。

吟子さんは三日寝込んでいたが、四日目の朝からまた元の姿に戻っていた。

わたしは正直、かなりほっとしていた。同居していたという理由だけで、自分が葬式とかあの大きい花輪とかを手配しなくちゃいけないいんだろうか、なんていうところまで考えていた。

日曜日は二十八度の晴天だった。半袖で出かけられることや、うっとうしい春が完全に終わるのが嬉しく、嬉しさ余ってコンパニオンのバイトの前に久々に陽平の家に寄った。合鍵でドアを開けると、知らない女の子が下着姿で彼の足元に座っている。

「おやおや」

びっくりしてそれしか言えなかった。

「おやおや」

はちあわせしたわたしたちを見て、汚いノースリーブシャツを着た陽平はばかみたいにわたしの真似をした。その日焼けした腕に、こんなときでもわたしは少し見とれた。

女の子は、頭の高いところで形よく髪をふくらませ、きちんと化粧している。わたしはというと、仕事場で顔をいちから作るため、ひっつめ髪にすっぴんで、どうでもいい古着のTシャツ姿だ。

これが、別れる理由、というものになるのだろうか。女の子はきまり悪そうにうつむいていた。

「信じらんない」

陽平はへらへら笑っている。

「最悪だ」

そう言い残して、出てきてしまった。恋の終わりは予想以上にあっけなかった。わたしが待っていた自然の流れというのは、こういうことなのだろう。言ってはみたが、よく考えてみれば言葉に出すほど最悪でもなかった。悲しくもなければ、憎らしくもない。どちらかといえば、期末試験が終わった帰り道のような気分だ。

駅までの道、立ち止まって辺りを見回すと、道行く人はほとんどが二人連れか、家族連れだった。前を行く制服姿のカップルは、腕を組んで体をぴったり密着させ、空気の通る隙間さえない感じだ。花壇のふちに腰掛けて、わざと意地悪い視線で彼らを観察したが、誰とも目が合わなかった。

わたしは、人の恋愛感情というものが想像できない。この人たちがどういう感情の元で結びつき、留まっているのか、大きな謎だ。少なくとも、今目の前を通り過ぎていく彼らと、わたしが昔からやっていることは、別だという気はする。どうやったら、恋の最初の楽しい感じをそのまま留めておけるのだろう。惰性なしにずっと一緒にいるなんてこと、できるのだろうか。

前に来たときとは違って、桜並木には白い花びらの掃き溜めもなく、見上げると新緑の合間に空がのぞいている。青なのか白なのか、まぶしすぎてわからない。あまりのすがすがしさに、じんましんが出そうだった。わたしは、光やそよ風などではなく、皮膚の脂を容赦なく奪っていくような真冬の厳しい風に、全身をさらしたい。

こちらには目もくれず前を通り過ぎていく人々は、鉛筆で描いた絵のように見えた。ぬるい風に乗ってそのままぺらぺら飛んでいきそうだった。が、そういうなんでもない紙きれが知らぬ間にわたしの皮膚を浅く切るのだ。ため息をつくと、がっちりと胸の前で腕組みをし、下を向いて早足で歩き出した。


今日の会場は、日暮里にあるホテルの宴会ホールだった。

わたしは支給された下品なピンク色のスーツを着て、髪を巻き上げ、スーツと同じピンク色の口紅をつけておじさんたちを接待する。この人たちだって、ちゃんと恋をして、結婚して、家庭を持ったんだろう。ホールの隅でぼうっとしていたら、先輩コンパニオンのヤブヅカさんが近寄ってきた。長い髪を立派な夜会巻きにし、派手な金ボタンつきの白いパンツスーツをぱりっと着こなしている。

「どうしちゃったの。ちゃんと輪に入んなさいよ」

「はあ……」

「ブローチずれてる」

胸にバラの形のブローチなんか、つけていたのだ。背の高いヤブヅカさんはわたしの胸までかがんで、位置を直してくれた。

「ヤブヅカさん」

「何よ」

「恋愛ってどうやるんですか」

「もう何言ってんの。仕事してよ」

わたしは腕をひっぱられ、おじさんたちの輪に入っていった。彼らがいい具合に酔っ払い始めると、輪から離れてボウルのサラダを何枚もの皿に取り分け、それを配って歩いた。


吟子さんとの食卓で、告白してみる。

「彼氏が」

どう思われようがかまわないと思うと、無性にいろいろとしゃべりたくなる。が、箸と皿の音しかしない中そうやって切り出すと、いきなり間違ったような気分になった。

「浮気してたんです」

吟子さんは、芋の煮転がしをもぐもぐしながら「ああ?」と返事をする。それを見ていると、わざわざ口に出して言うほどのことでもないかも、と思い、わたしも黙って芋をつつく。

吟子さんの料理は、どれも味が薄く、ものたりなかった。わたしはまだ食べ盛りなので、もっとこってりしたものが食べたい。切干し大根やら、干物とかでなく、グラタンとか、焼肉とか、カルボナーラとかが。

「今日はデザートありますか」

「ああ?」

「今日は、デザート、ある?」

「ないよ」

「さっきりんごを……」

「ああ、あれは、まだだめ」

「なんで?」

「一晩置かないと、いい具合にならないでしょ」

茶碗を空にすると、わたしはりんごのようすを見にいった。吟子さんは、煮物の鍋を火から下ろしたら必ずタオルでぐるぐる巻く。そうしておくと、朝まで温かく、味がよく染みこむのだと言う。オレンジ色のタオルで巻かれた鍋の中には、まだ温かい薄切りりんごが一様にぐったりしていた。砂糖水の中でしめっぽく光り、頼りなく、いい匂い。陽平の足元にいたあの女の子、なんていう名前だろう。あの暗くて汚い部屋に、こんな甘い匂いが充満していて、おかしかった。それにしても、陽平はばかだ。セックスの相手なら他にいくらでもいただろうに、わたしで何がしたかったんだ。わたしもわたしで、二年半、あの人といったい何がしたかったのか。

りんごを一切れつまんで、よく匂いをかいでみた。ぺたりと鼻にはりついたりんごは、なま温かい。

公民館の社交ダンスサークルに入っている吟子さんは、木曜日になるといそいそと化粧して出かけていく。かっぽう着はもちろん脱いでいく。ふつうなら、あらかわいいわねえ、なんて思うところかもしれないが、わたしは一人で舌打ちしている。その歳になって何がしたいんだ、と思う。

見にきて、楽しいのよう、としつこく言うので、たまに親切心をおこして行ってみると、吟子さんはどこかのじいさんと姿を消しているのだった。

ゆらゆら踊っているこぎれいな老人たちのあいだで、わたしはやることがなかった。

失恋もしたことだし気分を変えようと思い、髪を切ってみた。足の速い小学生みたいな、ベリーショートだ。表情がぐんと勇ましい。吟子さんを驚かせようと、わっと大声を出しておどけて台所に入ると、知らない老人がグラスで緑茶を飲んでいた。驚きの声をあげて、すっかりむせてしまっている。

「すみません……」

わたしは申し訳なく、もじもじした。「あの」とか「あれ」とかひとりごち、視線をさまよわせていると、吟子さんが入ってきた。

「あれ髪切ったのね」

「うん……あの、びっくりさせちゃったみたいで」

わたしはまだごほごほ言っている老人のほうを手で示した。

「いやだ。ホースケさんになんかしたの」

「吟子さんだと思ったら、別の人で……すみません」

いやいや、大丈夫、とその「ホースケさん」は笑顔をひきつらせて言った。吟子さんは優しく背中を叩いてやっている。

「あの、すみません、ほんと」

わたしは席をはずした。仲のいい友達か、ダンスの相手か、老いらくの恋か。べたつく足を洗い、電車の見える縁側で爪を切っていると、二人が家を出る音がした。わたしはヘッドフォンを耳にはめ、思いっきり頭を揺らした。目を閉じて、両手もぶらぶら揺らしてみる。頭を振っても髪が動く気配がないのが新鮮だった。少し気持ち悪くなってきたところで、ばち、という感触がして目を開けると、すぐ横に吟子さんの細い足があった。見上げると、吟子さんが迷惑そうに立っていた。

「何してるの」

「うん……」

吟子さんは縁側に立ったまま、駅のホームを眺めている。

「さっきのおじいちゃん、帰ったの？」

「今から帰る。来たよ」

吟子さんは手を振った。ホームからは、あの老人が手を振っている。わたしも少し居ずまいを正して一礼した。三途の川のあっちとこっちみたいだなあ、なんて思いながら、視界はまだぐらぐらと揺れていた。

二人はあきれるほど長く、手を振り合っていた。呆けたのじゃないかと、心配になるくらい。

庭の雑草は、縁側のすぐ下まで迫ってきている。チョコミントアイスのように、緑の中に点々と茶色い地面がのぞいている。

夏

週三回のコンパニオンのアルバイトにも慣れ、欲が出てきた。六月に入って、もうひとつ新しいアルバイトを始めることにした。笹塚という駅で、ホームの売店の売り子をやるのだ。だいたい週五回のペースで、シフトを入れてもらった。

わたしの当番は朝六時から十一時までの五時間で、仕事を教えてくれるおばさんは、腰が悪くなったためわたしを教育したらすぐに辞めるということだ。このおばさんは、よくしゃべる。わたしはひたすら相槌を打ち、質問し、納得し、退屈する。一人だとこんなにのんびりできないからね、今のうちにちゃんと仕事覚えてね、と口やかましく日に二回は言われる。わたしは、自分がどこに住んでいるかも、なぜこの仕事を始めたのかも、話さなかった。そんな話をするより、早く仕事を覚えて一人になりたかった。

早起きは苦だった。が、慣れた。夏は朝がいい。家を出る五時半の空はもう明るく、空気が軽い。電車を待つ人はほとんどいなかった。わたしは口笛を吹きながら、跳ねるような足取りでホームの端まで歩いていく。

夏のはじめは、ブルーナのイラストみたいに世界の色が鮮やかで単純だ。毎日、ワンパターンに晴れる。カラフルな服装の人が多く、サラリーマンたちも上着を脱いで白やブルーのYシャツ姿で行き交い、ラッシュアワーのホームはくらくらするほどの色の洪水になる。もうすぐやってくる梅雨に向けて、暑さをぎりぎりまで溜め込んでいる感じが、たまらなくいい。髪の生え際に汗をかいたり、靴や下着の中が蒸れていく感触を少しずつ思い出していく。

売店はホームの真ん中にあって、高層ビルが立ち並ぶ新宿方向には背を向けて店開きしていた。わたしは新聞やガムやペットボトルのお茶をあわただしく売る。覚えはよく、差し出されたものはほとんど値段をそらで言えるし、納品もてきぱき片付ける。ロゴ入りのエプロンもなかなか似合っている。毎日同じ時間に同じお茶を買っていくおじさんとか、電車待ちのあいだにささっと化粧をする女の人を見て、働くってこういうことか、とぼんやり思う。

駅員さんの見分けもつくようになった。いちばんえらい人らしい一條さんは、毎朝ホームのいちばん端に立ち、帽子のかぶり方にも貫禄がある。初日から、慣れないわたしを気にかけてくれ、今でも朝のあいさつはかかさない。中年だけれども、いつ見てもきりっとしていて爽やかだ。その他、若いアルバイトが何人かいた。

一度、吟子さんがわたしを見物しにやってきたことがある。ラッシュが去りひと段落したころだった。ホームの端の一條さんの立ち姿を眺め、あんなお父さんが家にいたらどうだろう、などと空想していたら、突然現れた。

「あれあれ、吟子さん、どうしたの」

「来ました」

「何しに？」

「勤労少女、ね」

「ちゃんと働いてるでしょ」

吟子さんは週刊誌を二冊買っていった。そのまま階段を降り、逆側のホームに現れた。わたしは売店の外に出て手を振る。電車がやってきて、動き出してからも、もう一度振ってやる。


その日、勤めを終えて帰宅すると、吟子さんは台所で猫にブラシをかけていた。蒸し暑いのに今日もかっぽう着を着ている。ただ、色だけは夏らしく、薄いブルーだ。わたしが留守のあいだにまたあのおじいさんが来ていたらしく、流しには切子のグラスときなこのくっついた皿が二枚重ねて置いてあった。わらびもちでも食べたんだろうか。

冷凍庫から棒アイスを取り出し、椅子の上で立て膝をして食べた。食べ終わったところで聞いてみた。

「恋、してる？」

「恋？」

「そう。恋。恋」

吟子さんはにやにやしている。

「知寿ちゃん、好きな人ができたの」

「あたしじゃないよ」

「いやいや」

「あたしじゃないって。吟子さんでしょ」

「やあねえ」

「恋は、わからない」

吟子さんは、ほっほっほ、と笑っている。

「ねえ。一生のうち、忘れられない人っている？」

「忘れられない人？」

「教えてよ」

しつこくせがんだら、彼女は笑顔を浮かべたまま話し出した。猫の毛のついたブラシを、うちわのように揺らしていた。

その昔、台湾人と恋に落ちたらしい。

若いころの、かなわぬ恋である。

「その人ねえ、優しくって、背が高くって、目がこんなにくりくりしてて、いい人だったねえ。台湾から来てた人だけど、日本語上手だった。結婚したいなと思ったんだけど、みんなに反対されて、そのうちその人、国に帰っちゃったのね。あのときは泣いたねえ、世の中が憎くって、一生分の憎しみを使い果たした気がするねえ」

「一生分の憎しみってどんなの」

「もう、わたしはなあんも憎くないね」

「どうやって使い果たしたの」

「忘れたよ」

「あたし、今のうちに、むなしさを使いきりたい。老人になったときにむなしくならないように」

「知寿ちゃん、若いうちにそんなの使いきったらだめよ。楽しいのばっかりとっておいたら、歳とったとき、死ぬのが嫌になるよ」

「嫌なの、死ぬの?」

「ああ嫌だねえ。つらかったり痛かったりするのは、何歳になっても恐ろしいねえ」

今、猫ブラシを揺らしながらそう言う吟子さんが、恋に破れ、泣いて世を恨んだ姿を想像するが、ぴんとこない。

わたしはまだ、何かを心から悲しんだり憎んだりしたことがない。だから、悲しみや憎しみがどんな思い出になるのかも、よくわかっていない。漠然とだが、そういうことに立ち向かっていくのはもっと先のことだろうと思っていた。

できればこのまま若く、世間の荒波にもまれず、静かに生活していきたいが、そういう訳にもいかないだろう。それなりの苦労は覚悟しているつもりだ。わたしは、いっぱしの人間として、いっぱしの人生を生きてみたい。できるだけ皮膚を厚くして、何があっても耐えていける人間になりたい。

将来の夢、というのや、人生をかける恋、は思い描けなくても、そういう望みのようなものだけはうっすらとあるのだった。


やはり、あのおじいさんと恋をしているらしい。

吟子さんは化粧をしている。色が白いので、ピンク色の口紅などよく似合う。きれいに髪を結っている。最近はついにかっぽう着をやめ、袖の短い花柄の服など着ている。おばあさん世代の流行がなんなのかわたしには全くわからないが、とにかく気合が入っていた。どこにも出かけない一日があっても、吟子さんはおしゃれしていた。

わたしはといえば、梅雨に入って毎日ひどい雨が続くので、気分が陰湿になり、さらに意地悪く、図々しくなっていた。きれいにしている吟子さんを無遠慮に眺め、気付かれて不審な目で見返されるまで、口を閉ざしているのだった。

「誰も見やしないのに、よくそんな気合入れるね」

「いいじゃない、きれいにしたって」

「うん。吟子さんはきれい」

「そう……」

ときどき、自分の意地の悪さとかひがみっぽさにびっくりする。わざとキャミソールやホットパンツ姿でうろつき、ぴんとはった肌を見せびらかしてみるが、優越感もあまり感じない。吟子さんが努力すればするほど、なぜかわたしは白けてしまう。きれいになっていくのを全精力をかけて阻止したい気分だ。

そういう態度を察したのか、わたしが寝ていたり、出かけているときに、彼女はきれいになるための準備をするようになった。わたしが居間に入ると、もともとこうでした、という感じで、すましてカフェオレなんか飲んでいる。

「若いね」

「わたし?」

「うん、若い。あたしなんかより、ずっと若い。その若さがほしい」

吟子さんは何言ってるの、と少しむっとした顔になる。小馬鹿にされているのがわかるらしい。わたしはそれを申し訳なく思いながらも、一方ではもっとサディスティックな気分になる。

「あのホースケさんて人、なんなの。ダンスの相手？」

「そう。ダンスの相手」

「あの人がダンスするの。なんかよれよれだけど。髪もぼさんぼさんだし」

「ダンスはうまいのよ」

「ふうん。ひとりみ同士、手に手を取り合って、けっこうでございますねえ」

「ホースケさん、優しいからね」

「え、どこが。あたしには冷たいよ」

「昔の人だからね。若者がまぶしいんだよ」

「あたし？　まぶしい？　そうかー。若いのね、あはは」

歳は離れていても女同士だ、敵対心や連帯感が混じり合ったところで、わたしたちの視線はぶつかる。

網戸を引っかく音がしたので、吟子さんがあタオル、と言って席を立った。わたしは網戸を開けて、そこに爪をかけていたずぶぬれのクロジマを部屋に入れてやる。吟子さんから投げられたタオルで猫の体を拭いてやっていると、縁側からはねた雨粒で膝こぞうがぬれた。

朝、目覚めるとまっさらな自分で、シーツはじとっとしめり、体は重いけれどもよい予感に満ちている。吟子さんが起きていなくて、静かな縁側でパンをかじれれば、なおさら何もかも一から始められる気がする。三週間続いた暗い梅雨は終わった。今日は暑さで目が覚めた。

パンくずをスズメにやっていたら、吟子さんがわたしの尻をひゅっと触った。頭にカーラーをつけ、小花柄のネグリジェを着ている。

「おはよう」

「何！　何それ、乙女みたいな寝巻きだね」

吟子さんはほほ、と笑いながら台所に行ってしまった。カーラーがひとつ取れて畳の上にぽとりと落ちた。ホームに向かって思いきり投げてやったが、それは弱々しく空中をただよって縁側から二、三歩のところに落ちただけだった。

街に出ると、誰にも親しく触れられず、体が純化されていくようだ。人ごみで目をつぶっても、自分だけ透明になってさあっと通り抜けられるような。指先も、髪も、ただ自分のためだけにきれいなのだった。街の緑が光り出し、空気が濃くなり、人々が遠慮なく薄着になっていく。風呂上がりに軽いクリームを付けると、このいい匂いを誰かにかがせたいと思い始めていた。

そんな日が続き、ある日恋したのだった。


その人は、笹塚駅のホームで働いている。人々を向かいの京王新線に押し込むアルバイト整理員の一人だった。白い半袖シャツがぴしっとしていて、りりしい。背が高く、朴訥な印象。マッシュルームカット。色素が薄い。なで肩気味。帽子をはずし、片手でさっと髪をひとなでし、帽子をかぶり直す、という動作をちょくちょくした。

わたしはすれちがいざまにネームバッジを盗み見て、彼の名前が「藤田」君であることを知った。電車のドアが閉まる前、彼が手を上げて、早口で何か確認の言葉を言い、売店のほうを向くと、目が合いそうになる。勝手にときめいていた。一度本当に目が合い、軽く頭を下げると、なんてことなく笑顔を返してくれた。

わたしはきちんと化粧をしてから出勤するようになり、背筋をまっすぐ伸ばして立つようになった。ラッシュアワーを過ぎ、九時十五分になると、藤田君たち若者一同は役目を終えて売店の裏にある階段を降りていく。それまでの時間、暇さえあればわたしは彼に見とれた。サラリーマンやお姉さんたちを電車に詰め込むため、ホームを行ったり来たりする彼の後ろ姿を見て、恋している、と思った。

「駅員さんと昔の兵隊さんって、似てると思わない？」

「全然違うよ」

箸ですうっと冷奴に切れ目を入れながら、吟子さんは答えた。

「あの帽子と制服、かっこいいよね」

「……」

「背の高い人がぴしっと白いシャツ着るとさ、かっこいいよ」

「そう」

「帽子かぶって、白い手袋なんかしちゃってさ、似合うんだなあ」

「……」

吟子さんと向かい合ってご飯を食べていると、ときどき自分がずっと歳をとってしまった気分になる。

ある程度生きてしまった人を前にすると、その人はもうそれ以上老化することもなく、自分だけがそこにある老いに向かって猛スピードで転がり落ちていく気がする。あじの干物の身をほじくっているあいだも、夏みかんの皮をむいているあいだも、なんとなく、気が急いてしまう。

「スーパーが」

食後のデザートの時間、唐突に吟子さんは言った。わたしはあずきバーを両手に持って、交互に食べていた。テレビには、中高年のための化粧教室が映っている。肌のつやつやした女講師が、おばちゃんたちをきれいにしていた。

「え？」

「駅の向こう側にスーパーができるんだって」

「へえ」

「知寿ちゃん、行く？」

「いつ開店なの？」

「再来週」

「再来週か……生きてるかなあ。あ、あたしがだよ」

「わたしだって生きてるか」

「こんなに暑いとね」

わたしは画面の中のおばちゃんの顔に見入った。目の下が垂れ下がって、眉は薄く、色あせた唇にはしわがある。年齢を重ねた顔。それが、女講師の細い指の動きと共に、色がつけられ、つやを出され、くっきりと輪郭をとられつつある。その人が戻ってきたような、遠ざかったような。最後に白いライトを当てられた彼女は、微笑んでいた。拍手で迎えられた。美しくなって、画面の中の人々は、みな満足げだ。

「吟子さんもこういうふうになりたい？　やってあげようか」

「わたしはいいわ」

「こんなの、にせものだよね。みんなで手叩いちゃって、なんかかわいそう。この人なんか、雑技団みたいになっちゃってるじゃん」

吟子さんはあずきバーに薄い唇をくっつけて、小さく笑った。その人のよさそうな笑い顔が、毎度わたしの意地悪心を刺激するのだ。

「ねえ。あのおじいちゃん最近来ないの？」

「ホースケさんのこと？」

「うん」

「来ないわね」

「あらっ」

「たぶん、忙しいのよ」

失恋だろうか。微妙にいい気分だ。したり顔でいると、吟子さんは眉毛をあげ、目を丸くして、おどけた顔をした。わたしは「何その顔」と思わず笑ってしまった。

「ふうーん」

その翌日から、ホースケさんはよく家に来るようになった。

言った次の日にどういうつもりかと、わたしは少し身構えた。夕飯も、週に何度か一緒に食べる。何も知らない人が見たら、祖父母と孫の平和な食卓に見えるだろう。いつの間にかホースケさん専用の真っ黒な箸が購入されている。

「知寿ちゃん、今度三人でことやに行こうか」

「ことや？」

「おいしいよ。僕の駅にある」

珍しくホースケさんがわたしと目を合わせた。が、わたしは吟子さんに聞く。

「よく行くの？　何屋さん？」

「洋食屋さん。ほんとにおいしいよ」

「ふうん……」

「ね、ホースケさん」

「うん」

「二人はいつも何してるの？」

「特にねえ……ご飯食べたり。ダンス教室に行ったり」

わたしの悪意に気付かないのか、吟子さんは表情ひとつ変えないで、きんぴらをもぐもぐ噛んでいる。ホースケじいさんは、たいがいわたしを無視する。目がうつろだ。

テレビではまだ夕方のニュースが終わっていなかった。彼が来る日は、夕飯の時間がやたらに早い。そしてビール瓶が二本空く。この人、きっといつもはパックのお惣菜を並べて手酌で飲んでるんだろうなあ、なんて思うと、黙って箸をすすめるその姿が、少し哀れっぽく見えてくる。

三つ隣の駅に住んでいるというホースケさんは、団らんの時間が済むと電車で帰っていった。吟子さんとわたしは、縁側に立って彼を見送る。ホースケさんに愛着があるわけではないけれども、三人で手を振り合っていると、体の毒が抜ける感じがして、いい。彼が電車に乗り込み、見えなくなると、わたしたちは自分たちの生活に戻る。吟子さんは皿洗いをするし、わたしは風呂をわかす。二人とも、少し疲れた顔をしている。

藤田君を眺めながら空想の中で遊ぶ三時間十五分が、しばし続いた。この早朝の仕事に集中したくて、夜遅くなるコンパニオンのアルバイトには最近行っていなかった。六時から九時十五分までのあいだだけ、わたしはいきいきしている。それ以外の時間は、少しつらくなってきた。

寝る前、明日こそ何かあるかもしれない、と空想していると頭の中がどんどん冴えていった。ひっきりなしに鳴いている虫の声に集中して意識を飛ばそうとしても、それがかえって昼間の蟬の声を連想させて、笹塚駅の情景が頭に浮かぶ。寝返りを打ったが、体に触れるシーツはどこも生ぬるくなっていて気持ちが悪かった。

台所に水を飲みにいって、時計を見るともう夜中の二時だった。布団に入る前にちょっと涼んでいこうかな、と吟子さんの部屋のふすまを静かに開けた。以前暑さのあまり脱水症状を起こしたことがあるそうで、吟子さんの部屋だけにはエアコンが設置してあるのだ。あんまり暑かったら来ていいよ、と言われていた。

温度設定をしてあるらしく、いい具合に部屋は涼しい。目をならすために、その場で何回か瞬きをしてみた。猫二匹は吟子さんの足元で丸くなっている。忍び足で布団の横を通り過ぎガラス戸棚に近寄ると、ゆっくり戸をずらし、中のものを倒さないよう慎重に腕を差し入れた。手に触れたロシア人形は冷たく、すべすべしていた。思いきって人形の頭をつかんだらひといきに取り出し、わたしはそれを胸に抱いて再び台所に向かった。

電気をつけないまま台所のテーブルで人形を解体し、ひとつひとつ並べていく。全部で七つあった。いちばん小さい人形は親指の爪ほどで、暗い台所では顔も何もほとんど見えなかった。わたしはそれをしばらく指先で転がして、またもや笹塚駅の藤田君のことを思い出した。立ち姿や、頭を掻く仕草など、細かく思い浮かべてはにやにやと笑ってしまう。が、しばらくするとなんだかむなしいと感じ始める。

こんなことをしたってきっと何の意味もないし、今日も昨日と変わりないのだろうと思いながら、人形を元通りに組みなおした。終わってからしばらくは、頬杖をついて水道の蛇口ばかり見ていた。

　思いのほか、転機はすぐに訪れた。

売店で、ひと悶着あったのだ。といっても、わたしはただの傍観者である。ひどいラッシュが過ぎたころ、あるカップルが口論しながらわたしの売店にやってきた。「うぜえんだよお前はよ」と言いながら男がガムと小銭を差し出したすきを狙って、お相撲さんのような体格の彼女は突然彼の頭をグーで殴った。何がなんだかわからなかった。男がよろけた拍子に店の右半分に陳列してあった小物がばらばらホームに散らばる。逆上した男は、女の肩をつかんで殴り返そうとする。すぐ近くにいた一條さんと、その他の整理員が「どうしたどうした」と駆けてくる。その中には、藤田君もいた。

　わめく女を一條さんがなだめ、すぐにその場はおさまった。男は、ドラマみたいに「このくそ女」と唾を吐き、電車に乗って去っていった。女はエレベーターに乗せられていなくなった。

　若い整理員たちは、落ちた商品を拾って元の位置に戻してくれた。藤田君がすぐ脇にいる。わたしは手に持っていたガムを差し出した。

「これ、いる?」

「売り物でしょ」

彼はあっさりしていた。なだめるような、のんびりとした口調だった。

「いいの」

わたしは彼のみぞおちあたりにガムを押し付けた。白いシャツはしっかりした生地で作られている。胸のポケットには、二本細い線が入っていた。近くで見なければわからないほど微妙な線だ。「藤田」と名前が書かれた名札が数十センチの距離で見え、体が急にこわばった。

「どうぞ」

「じゃあ」

藤田君は、わたしの差し出したガムをさっと胸ポケットに入れた。

「今度来たらまたあげる、ほしいやつなんでも」

早口で言うと、「何それ」と笑って、彼は元の位置に戻った。商品を整理する手が震えた。売店の椅子に座って遠くの背中を見ていると、だんだん体がほぐれていった。

九時十五分になると、アルバイトの整理員たちはいつもどおり連れだって階段を降りていく。ただ、売店を通り過ぎたあとに、藤田君だけがこちらを振り返った。思いきって手を振ってみると、胸の辺りでちょっと手を上げてあいさつを返した。

一週間後、仕事帰りに藤田君と待ち合わせをした。声をかけてきたのは彼のほうだ。九時十五分に階段を降りる彼を見送り、すっかり気を抜いていた九時五十分に突然売店の前に現れた。

「何時に終わるの?」

「十一時」

「終わったらお茶、飲む?」

「飲みます」

「じゃ、下で」

「はい。下で、はい」

うなずいて、行ってしまった。見送ったあと、すぐに斜め上につってある鏡を見上げた。たいして乱れてもいない髪の毛に手ぐしを入れ、どうしようもないと思いながらも、右頰の吹き出物を指で押さえる。

その日、わたしは笹塚駅から歩いて二十分のところにある彼のアパートに行ったが、セックスはしなかった。ただお茶を飲んで帰ってきた。道すがら何度も顔の汗を拭いたので、部屋に着くころにはハンカチがじっとりしめってしまった。せっかく駅のトイレで直してきたお化粧もぱあだ。

彼は、戸棚から出してきたティーカップを洗って、茶葉から紅茶を入れてくれた。

わたしはいつも粉のレモンティーを使っているので、それだけでまぶしく見えた。

　藤田君と同居している男の子が帰ってくるまで、わたしたちはぽつぽつしゃべりながら、並んで昼前のテレビニュースを見ていた。扇風機が回っていたけれども、風が近すぎて体全体がだるくなる。体育座りをしたふくらはぎと太もものあいだが汗でじっとりしめる。その隙間に手を差し挟んで、そうっと抜いていく、というようなことをわたしは一人で繰り返していた。


　仕事のあとでよく会うようになった。

　私服の藤田君は、制服姿とはまたひと味違って、いい。彼は、南口の本屋の前で待っている。その小さな憩いの場には、宝くじ売り場とアイス屋と花屋がある。全体的に、楽しい感じのする場所だ。

　つつじの花壇のふちに腰掛けて、二人でジュースを飲んだ。藤田君のTシャツの右袖には、小さな穴が開いている。襟足の髪の毛は、そろって行儀よく内側を向いている。

　仕事を終えて、わたしは何もやることがない。その空白が心地よい。藤田君はどうだろうか。

「今日、何する？」

「なんでも」

「おばあさんに会う?」

「おばあさんに?」

「一緒に住んでるの」

「ふうん。いいよ」

家に帰ると、吟子さんは庭に出ていた。垣根にかがんで、草を引っこ抜いている。一瞬排尿しているのかと思ってあわてた。

「吟子さん」

縁側から名前を呼ぶと、額の汗をぬぐいながらこちらを振り向いた。わたしの後ろに立っている藤田君を見て、よろよろ近づいてくる。

「お客さんが来たよ」

二人は見合った。わたしは一歩引いて、お互いを紹介した。

「こちら、藤田君。こちら、吟子さん」

「どうも。おじゃまします」

「こんにちは。知寿ちゃんがどうも」

「いえ、どうも」

「お茶、飲む?」

始まったばかりの『おもいッきりテレビ』を見ながら、冷たい緑茶を飲んだ。会話を盛り上げる努力を知らない人間が三人いると、沈黙もそれだけ強調されるようだ。『きょうは何の日』のコーナーが終わったところで、吟子さんが腰を上げた。

「ひやむぎでもゆでようかね」

「うん」

「そんなもんでいい？」

「はい。全然いいです」

藤田君はほとんどどうでもよさそうに答えた。

二時になると、吟子さんはダンスの教室に行ってしまった。昔風の白い大きなつばつき帽子をかぶって、サングラスをかけ、手には手袋なんかはめている。わたしと藤田君は縁側に立って、ホームの彼女に手を振った。

「ああいうの、昔の女優さんの真似なのかな」

「いいんじゃない」

「最近はりきってるんだよね」

「なんで」

「恋してるらしいよ。ダンス教室のしわしわのおじいさんと。気が若いんだよね」

もう一度手を振ってみせたが、吟子さんは顔を斜めに上げて、屋根か、電線か、空か、何かこちらからは見えないものを見ている。

「眠いな」

藤田君はあくびをしながら言った。

「寝る？」

「寝よう」

吟子さんが縁側を見ていないことを確認してから、わたしは少し神妙な気持ちで彼の手を引いて、自分の部屋に案内した。藤田君は、鴨居の猫一覧を不審そうに見上げた。

「何これ」

「おばあさんのコレクション」

「校長室みたい」

「これ、みんなチェロキーっていうらしいよ」

「は？」

「死んだのは、全部チェロキーなんだって。案外いかれてるでしょ」

こういう部屋では無理かと思ったが、わたしたちは初めて一緒に布団に入った。

久しぶりにするセックスは、ぎこちなかった。これでいいんだっけ、と何度も思った。彼は服を脱いでも、生白い体をしている。鴨居の猫たちの前でことを済ませたあと、わたしはなんだか無性に恥ずかしかった。

目が覚めると、夕方の六時になっていた。しめった布団から転がり出て、畳に大の字になっていると、電車の轟音の合間に台所から炊事の音が聞こえてくる。窓際まで転がって、庭に落ちている西日の色が変わっていくのを見た。電車が一本通り過ぎるたび、コンクリートと緑の混じり合った匂いが濃くなる気がした。

「起きて」

布団に戻り藤田君の背中に手を置くと、じんわりと熱かった。横になでていくと、浮き出た汗のせいで手のひらがしめる。ばしっと叩くと、うっとうしげな顔をして起きた。

「今何時」

「六時。ご飯食べてく?」

「いや、いい」

「お腹すかない?」

「すいた」

「じゃあ食べていきなよ。吟子さんも喜ぶよ」

わたしたちは脱ぎ散らかした服を着た。二人とも変な寝ぐせがついている。手を洗って台所に行くと、吟子さんは芋や、にんじんや、肉を鍋でいためていた。

「おやおや。肉じゃが？」

「カレー。若い人はカレー好きでしょ」

「あたしは別に。好き？」

振り向くと、藤田君は首の後ろをぼりぼりと掻いていた。

「俺は好き」

「なんか手伝う？」

「いいよ。二人でお茶でも飲んでなさい」

「じゃ、電車を見よう」

わたしはコップに麦茶を注ぎ、藤田君の手首をつかんで縁側に連れていった。

「この家、いいでしょ。電車眺め放題で」

「うるさくない？」

「もう慣れたよ。それに、ちょっとうるさいほうがいいんだ。こういう家だから。おばあちゃんと二人っきりで、あんまり静かだと、気がめいるから」

「あの垣根、通り穴作れば。道、駅から続いてるんでしょ」

「うん……」

藤田君はポケットから煙草を取り出して、寝そべりながら火をつけた。

「藤田君は、なんで駅で働いてるの」

「駅が好きだから」

「駅が？」

「雑踏、って感じが」

「それくらい。別に理由はない」

「あの仕事、楽しい？」

「さあ。まあまあ、かな。別に楽しさとか求めてないから」

ライトが近づき、急行列車が通り過ぎていった。乗っている人はまばらだ。窓ががたがた揺れる。

「腹へった」

藤田君は麦茶を飲み干した。


吟子さんのカレーは、かなり辛口だと思う。他の料理は味が薄いくせに、カレーだけはパンチが効いている。わたしは水をがぶがぶ飲んだ。辛いものは苦手なので、少し涙がにじむ。

夕食のあとすぐに藤田君は帰っていった。玄関先でわたしが頼んだとおり、ホームのいちばん後ろまで歩いてきて手を振ってくれる。こんな夜がこれから何度もあるだろう、と感じさせる別れ方だった。手を振っていると、足の裏から何か温かいものが満ちてくるような、いい気持ちがする。隣で手を振っている吟子さんでさえ、不思議といとおしく感じる。

次の日、藤田君のアパートから帰ってきたら、玄関にひとつ黄色い風船が浮かんでいた。うさぎの絵が描いてある。

「何これ」

わたしは風船を居間までひっぱってきた。吟子さんは老眼鏡をかけて、週刊誌を読んでいる。半分うとうとしていたらしく、眼鏡がおかしな具合にずれていた。

「何、この風船」

「ああそれ……スーパーが開店したからね、行ってきて、もらったの」

「へえ、やっと開いたんだ。いいねこれ」

縁側から裸足で外に出て、風船をひっぱりながら庭を一周駆けてみる。植木鉢にけつまずき、「きゃあ」と大げさに悲鳴をあげてそのまま雑草の中に倒れこむ。こんな狭い庭でなく、広い牧場でも駆け回りたい気分だ。吟子さんにも、もう少し優しくしようと思う。

「おつかい、してこようか？」

寝転んだまま叫ぶように言うと、何か返事するのが聞こえた。

「え？」

「もう行ったからいい」

ブリッジをすると、両手を腰に当てて縁側に立つ吟子さんが逆さに見えた。

「服が汚れるよ」

「買い忘れたものないの」

「ない」

「あっそ！」

気まぐれの優しさは通用しない人なのだ。が、それもどうでもいい。わたしはもう一度あお向けになって、風船を揺らした。

「その辺、猫が埋まってるとこなんだけど……」

「ええ？」

上半身を起こすと、吟子さんはわたしの寝転がっているあたりを指差して、くるくると回した。しょうがなく場所を少し移動して、もう一度地面に倒れる。

日差しが強く、土の上に投げ出した腕や足が音を立てて焼けていくようだ。わたしは風船のひもを放した。目を閉じると、蟻か何かが左腕をはっているのを感じた。くすぐったいのをそのままにしておいた。

お盆、母が帰ってきた。

おじゃましまあす、と耳障りな声がしたかと思うと、縁側から顔だけのぞかせている。来ることはわかっていたくせに、吟子さんは「あらあら」といちおう驚いて見せる。わたしはどうも、と一瞥するだけだった。突然すみません、とトランクを庭に放ったまま靴を脱いで上がってくる母は、居間で静かにかき氷を食べていたわたしたちの隣にへたりこみ、

「あつうい」

と若ぶって口をすぼませた。

かき氷を差し出してやると、「わーいありがとう」とはしゃいでいる。吟子さんは黙ってお茶の準備を始める。

「吟子さん、どうも知寿がお世話になります」

「いやいや、知寿ちゃんは、よく手伝ってくれるし、風呂掃除も毎日してるよ」

「ほんとですかあ？　このごくつぶし」

母はわたしに内緒で吟子さんに送金しているらしい。やめるよう言ってくれと吟子さんから頼まれたのだが、わたしはまだ言っていない。くれるものならもらっておけ

ばいいのだ。

二人はどこか他人行儀だった。言葉の最初と最後が微妙に重なっているので「え?」とか「なんですって?」とか、聞き返しが多い。そしてなぜか、わたしと吟子さんにも他人行儀が感染している。お茶を手渡すのでさえ、なんだかよそよそしい。わたしと母だって、親子といえども久々に会ったのだから、お互いのペースを取り戻すのに時間はかかる。

結果三人でいるとどうしても不自然な空気が生まれ、母は早々にわたしを外に連れ出した。

新宿のホテルを予約したという。わたしたちは三日間、その部屋に滞在した。十四階のその部屋からは、東京タワーは見えるが、わたしの好きな東京都庁は見えない。緑が低く盛り上がって見えるのは、新宿御苑、というやつだろうか。わたしはまだ東京の街を少しも知らない。知っているのは吟子さんの家がある街と、笹塚駅と、ホテルの宴会場とか、産業会館だけだ。

白いシーツはパリパリで、洗面所やトイレまで、清潔そのものだった。無菌室のようで、気持ちがいい。きしみや猫の毛や赤カビなどとは無縁の世界。一人でここに泊まれたらどんなにいいだろう。

ホテルのラウンジでケーキバイキングをした。チーズケーキや、チョコがけのイチゴや、ババロアや、ドライフルーツ入りのクッキーや、アイスクリームだって何種類もあって、感じのいいボーイさんがきれいに器に盛ってくれる。

母はケーキ皿の脇にアイスクリームを八種類も並べて、いちいち嬉しそうに食べている。髪型を変えたらしい。若作りのつもりらしく、縦巻きロールのような変なパーマがかかっている。とりあえず、アイスはあとで押し付けてくるだろう、とわたしは覚悟しておいた。

食べながら、「ちょっと大人っぽくなったわね」なんて、遠い親戚みたいにしみじみ言う。それから、「もっと口の端を上げなさい」とか「このままだとますます幸薄い顔になる」とか「友達いないでしょ」とか、余計なことを付け加え、わたしはすぐに無口になる。歳をとるにつれて、わたしのほうでは言い返す言葉が少なくなっていくようだ。

「どう、暮らし向きは」

「うん」

「勉強してる?」

「ううん。するわけないじゃん」

「太ったね」

「うん」

母は、少しやせていた。顔は以前よりきつくなった。

「中国、楽しい？」

「まあね。いろいろと、刺激がある」

「ニーハオ」

「違う」

母は、本物らしくニーハオ、と言ってみせた。

周りは女の人ばかりだ。女たちはしじゅうしゃべっている。どうしてあんなに会話が持つのか、知りたかった。わたしたち親子といえば、笑いが起こるような昔話も、熱中して話せるような共通の話題もない。

「吟子さんちに泊まればいいのに」

「だって、あそこは人の家だから。世話になるのはあんただけでいいの」

「じゃあホテル、お母さんの分だけでいいのに。お金の無駄」

「あんたもたまには贅沢したいかな、と思って」

「着替えとか、めんどくさい」

母は、疑うような目つきになった。わたしはそれを、懐かしい、と思った。

「大学行かないの」

「うん、今さら」

「今からでも遅くないでしょ。散々ぶらぶらしたんだからさ、このへんで何かやれば」

「まだ言うんだ」

「毎日ほっつき歩いてるわけ?」

「いや、バイトをしてる」

「何の」

「お酒注ぎとキオスク」

「は?」

「コンパニオンと駅の売店。笹塚駅。知ってる?」

母は、ふうん、とため息のような返事をした。

「いかがわしい仕事じゃないよ。一ヶ月、十万は稼いでるよ」

自慢したかったのだが、言った瞬間後悔した。母の前では、自分の持っている何もかもが、くだらなく感じる。

「あんたねえ、大学へは行っておいたほうがいいよ。あのとき勉強しとけばよかった、って、後悔しても遅いよ」

「興味もないのに無理やり行くなんて、お金がもったいないよ。大学なんか行かなくったって、どうにかなるもん」

「そりゃあ、そうかもしれないけど」

「あのね、あたし、勉強嫌いなの。それより働きたい。自分の力で食っていきたい」

「そのために、大学行くんじゃない。あそこんちはお母さん一人だから行きたくても大学に行けない、って言う人もいるんだからね……」

すねたように言う母を見て、わたしは思わずふき出した。

「今どきそんな人いるの」

「世間てそんなものよ」

「お母さんとあたしがよければ、それでいいじゃん。そんなの気にするほうがわかんない。お母さんだってほんとはどうでもいいんでしょ、いちおう言ってみるだけで、親の義務として」

「どうしてそんなひねくれたこと言うの」

母はほとんどとけたアイスにスプーンを突っ込みながら、わたしの目をまじまじ覗き込んだ。対抗してぐっとにらみ返すのだが、火をつけられた新聞紙みたいに、わたしの視線は彼女の目の前でしなしなと折れ曲がっていってしまう。もったいぶった間のわりには、どこか言いづらそうに母は口を開いた。

「なんていうかさ……どうでもいいけど、ちゃんとしてよね」

はいはい、とうなずいて、わたしはフロアの隅にある点心コーナーに行くため立ち上がった。

ちゃんとするってなんだろう。学校に行ったり、会社に勤めたりすることを言うのだろうか。母もはっきり言葉にしかねているのだろうが、そう漠然と言われると逆に本質を見抜かれたようで、しゃくだった。じゃあ自分はどうなのかと聞き返したくなった。

白い蒸気のたちこめる蒸籠《せいろ》の前で振り向くと、遠くの母はソファに埋もれるようにだらしなく座り、足をぶらぶらさせながら、こっちを見ている。わたしはあわてて向き直り、食べ切れないくらいのシューマイをトングで皿に盛っていった。

夜、わたしは藤田君が部屋に忘れていったタオルハンカチを枕の上に敷いて寝た。汗のすえた匂いがする。

「何それ」

顔に緑色のパックを塗って、表情の消えた母が聞く。

「落ち着くから」

「知寿はねえ、小さいときも気に入ったタオルをずっと持ってたよ。コアラ柄のやつ」

「小さい子ってみんなそうでしょ」

にべもなく、言ってしまった。記憶にない話をされても、いらいらするだけだった。

「突っかかるね」

いやな沈黙があった。関係は悪化しているかもしれない。謝ろうかとも思った。でも、謝る理由が思いつかない。わたしは布団を頭からかぶり、母を見えなくした。

同じ部屋に寝るのは何年ぶりだろう。電気を消してから、一言も口をきかなかった。覚えている中から楽しい印象のものだけ、母の記憶を思い出してみる。雨の日の裁縫や、夜のドライブや、ベランダでのピクニックごっこなど。

そういう思い出は表面をなでるくらいで、わたしはすぐにお金のことを考え始めてしまう。それは、さっきまでのぼんやりした思い出の何倍も、ありありと頭に浮かび上がってくる。出産から、小学校、中学校、高校までの教育費、食費、洋服代、旅行代、わたしにかけたお金はいくらなんだろう。その、膨大らしいお金は、いつになったら返せるんだろう。心が重苦しくなる。それを全部返さないと、母の批判さえできない気がする。母に対しては感謝というより、負い目、という感情のほうがまだ強い。

同じ血が通っていても、心まで似ているわけではない。

わたしは思春期のころから、母の若々しさとかなれなれしさが、好きじゃなかった。理解されないことではなく、理解されることがなんとなくいやなのだった。二人だけの生活に息苦しさを与えないよう友達みたいな母親を目指していたのだろうが、疲れや世間体のためにそうなりきれない母が、中途半端で恥ずかしかった。

隣のベッドからはなかなか寝息が聞こえてこない。張り合うように、二人とも無言で起きたままでいる。


二日目の午後、わたしたちは買い物に出かけた。それなりに楽しい買い物だった。母はわたしにきれいなサンダルを買ってくれた。左足に白いハト、右足に葉っぱがデザインされている。夕食後、ホテルの最上階にあるバーに誘われた。驚いた。母がこういうところに来たがるとは。

わたしたちはきれいな色のカクテルを注文した。夜景を見つめる彼女の横顔は、いつになく化粧が濃い。わたしは、吟子さんのそれとは微妙に違う、母の老いを見つめた。そして、遠ざけたいと思った。

「お母さん、老けたね」

声をかけると、あきらめたように呟く。

「子どもを持つって大変」

「何？　それ、あたしのこと？」

母は何も答えない。

窓の向こうには、新宿駅東口のネオンがけばけばしく光っていた。それに重なるように、二人が並んで映っている。下ぶくれ気味の頬の線が似ている。母は疲れていて、どこかつまらなそうで、わたしはそれを自分のせいのように感じていた。

「ねえ。ほんとは帰りたいと思ってるんでしょ」

「どこに?」

母は、頬杖をついて面倒そうに聞き返す。頬に埋もれた爪の先のマニキュアがはがれていて、みっともない。わたしと住んでいたときにはマニキュアなど塗っていなかった。どうせやるなら、完璧にきれいにしておいてほしい。娘から見た母は、彼女の目指すものから常に何かはみ出しているような気がした。同時に、わたしも母の望む娘の像から同じくらいはみ出しているのだろう。

「中国に帰りたいの?」

「ううん」

「じゃあ、日本に帰りたい?」

「ううん」

「何、どっちがいいの?」

「どっちも……」

「いやなの?」

「どっちも、まあまあよ」

母は四十七歳だけれども、遠目に見ればまだまだきれいなほうだと思う。恋人なんかは、いないのだろうか。さみしい、なんて思うこと、あるのだろうか。

　母が中国に戻る日、二人で東口の映画館に行った。映画がつまらなかったのと、真夏の照り返しと人ごみに彼女は機嫌を悪くした。駅に向かう途中、新宿タカノでフルーツの盛り合わせを買った。吟子さんに持っていけと言う。わたしが「お供えみたい」と言ったら余計に機嫌が悪くなった。

　大きなトランクを片手に改札をくぐってまっすぐに歩いていく母は、立派な大人の女で、もうすっかり他人のようだ。マニキュアはきちんと塗り直されていた。いつそんな暇があったのか、別れ際、握手を求める手を笑って払ったときに、わたしはやっと気付いたのだった。


　母にしつこく近況を聞かれても、藤田君のことは言わなかった。おそらくは、そういうことを聞きたかったのだろうが。いつか藤田君がいなくなったとき、それを報告するのはいたたまれない気がする。生意気だとか世間知らずだとか思われるのはいっこうにかまわないが、哀れな子だと思われるのは避けたかった。

　藤田君を家に呼んで、久々に三人で夕食を囲んだ。

「お母さんはもう戻ったの」

吟子さんがご飯を盛りながら聞く。

「今日は、銀座でこっちの先生仲間に会うんだって。それで、夜の飛行機に乗るんだって」

「銀座ねえ、いいわね」

「吟子さん、巣鴨とか上野に行かないの。おばあちゃんの原宿に」

「わたしは人ごみがきらいだから」

「今度一緒に行こうよ。藤田君も、ねっ」

わたしは味噌汁をすする藤田君を見る。会話はそこで終わる。三人の食卓は湖の水面のように、おだやかで平和だ。


急に涼しくなった。

夏が、終わるのである。

藤田君、吟子さん、ホースケさん、わたし、の四人で、庭で花火をした。藤田君とわたしは両手にいくつも花火を持って、めちゃくちゃに踊ってみせた。お年寄りたちはそれぞれ一本ずつ試して終わった。燃やすものがなくなって、縁側でおとなしくビールタイムになったころ、わたしはお代わりを取りに台所に行った。テーブルの上に、ホースケさんのセカンドバッグが置いてある。チャックが開いて、中身が半分飛び出している。覗いてみてもたいした物は入っていなかった。お守りのついた家の鍵、しわしわのハンカチ、黒い財布、本屋のカバーがかかった文庫本、仁丹、飴二つ。もらうなら仁丹だな、と思い、ケースごとポケットに滑り込ませた。

縁側の三人は黙って庭を見ていた。この人たちは、わたしがいなければずっとこうして黙っているのだろうか。お互いに何を考えているかは、気にせず。

「ビール、お代わりいる人」

藤田君はわたしの手から瓶を奪って自分のグラスについだ。わたしは自分のグラスにもなみなみついで、庭に出た。

見上げると、月が高いところに出ている。わたしは「あーあ」と声を出して、大きく伸びをした。ビールがこぼれて腕をぬらした。

「夏が終わっちゃうよ」

振り向くと、六つの目がこちらを見ている。わたしはなんとなく笑った。笑っているうちに本当におかしくなってきた。浮かれているのは自分だけらしい。

藤田君は寝そべって、携帯電話をいじり始めた。ホースケさんは帰り支度を始め、吟子さんはそれを手伝った。

蟬の声のほかに、聞きなれない虫の鳴き声がする。コオロギか、スズムシか、わたしには違いがよくわからない。

秋

ホースケさんと吟子さんの夕食についていくことになった。あまり気が進まない。

「やっぱいいよ、あたしは」

「そんなこと言わないでさ。たまには若い人も交えないと。年寄りだけで顔つき合わせてるのも、ちょっとねえ……」

「倦怠期？」

「若い人みたいに、波のあるお付き合いじゃないの」

ホースケさんの駅で待ち合わせをした。わたしと吟子さんはホームの端まで歩いていって、我が家を眺めた。白い街灯に照らされた小さな平屋は、みすぼらしかった。唯一立派なキンモクセイはまだ花をつけていない。

「なんかさみしいね、あの家。灯がついてないと誰も住んでないみたいだね」

「そうかね」

「あそこに住んでるんだ……」

「そうだよ」

「気に入ってる？」

「まあね。ずっと住んだ家だからね。そりゃあ、愛着はあるよ。知寿ちゃん、猫、家に入れてくれた？」

「うん。二匹とも、洗濯物と一緒に取り込みました」

電車がホームに入り、乾いた風が吟子さんの体を少しよろめかせた。

ホースケさんは改札のところで待っていた。歩き出しながら、二人は台風が近づいているらしい、という会話をしている。わたしは、二人の後ろを尻ポケットに手を入れて歩く。九月半ばを過ぎても日中は暑いので半袖を着ていたが、夜の風はもう冷たかった。

ホースケさんの住む駅は、わたしたちの駅と同じくらい陰気だ。ホームに沿って続く道には、星形の街灯が並んでいるものの、すすけていて暗い。駅前のスーパーを覗くと、店員も客もどこかうつろな顔をしていた。ご飯を食べたら、吟子さんは彼の家に行くのだろうか。わたしは一人、あんな顔をして電車に乗って帰るのか。

ことやという名前の二人のお気に入りの店は、スーパーの脇の通りを少し入ったところにあった。蕎麦屋の二階にある店なのだが、老人には危ない階段らしく、二人は用心して上っていく。吟子さんは、右手で手すりを、左手でホースケさんの薄いセーターの端をつかんでいた。

早い時間なので、店にはお客がいなかった。五十過ぎくらいの店のおばさんが、ホースケさんに親しげに話しかけてくる。

「あらあ、お孫さん?」

「いえ違います」

じいさんは、毅然と答える。わたしもそれに合わせて背筋をしゃんとして、言う。

「友達の、友達というところです」

おばさんはわたしの言葉には触れず、料理の話題に移った。ホースケさんのおごりなのだからここは遠慮しないで飲み食いしよう、と開き直ったわたしは、若者らしく率先してよく食べた。高そうな梅酒も五杯飲んでやった。吟子さんは、麦チョコの味のする焼酎、というのを飲んでいる。一口もらったが、口の中がかあっとしただけだった。

一皿のロールキャベツを分け合う二人を横目に、黙々と箸をすすめた。牛すじの黒酢煮込み。ミラノ風カツレツ。ジャーマンポテト。笹の葉が敷かれたばってら寿司。オレンジのシャーベット。空の皿を片付けるおばさんが、若いわねえ、と嬉しそうに言うので、ええ若いんです、と答えた。

ホースケさんは駅でわたしたちを見送った。おやすみなさい、と言って別れる。ホームから、彼が小道に消えるのを見た。

「ホースケさんち、行かないんだ」

「行かないよ。こんな遅くに」

駅の時計は、八時二十分を指している。

「それがふつうなの」

「何が」

「お年寄りのお付き合い」

「人によるんじゃない」

「ホテルとか行かないの。旧街道にあるよ、入り口にあひるちゃんが立ってるホテル。あそこなんかファンシーでいいんじゃない」

「行かないよ」

吟子さんは少し笑った。おでこには三本大きなしわが走り、下まぶたはくぼんでいる。鼻から口にかけても、鉛筆を挟めそうな長いしわがある。それは笑うといっそう深くなる。わたしはなんだか申し訳なくなって、目をそらした。

その晩遅く、雨が降り出した。台風が来るのだ。強い風が吹き始め、雨戸が飛んでいきそうなくらいすごい音を立てている。

夜中、わたしは具合が悪くなり、食べたものを全部吐いてしまった。外の強風のリズムにあおられるように、大げさに声をあげて吐いた。だんだんリズムに乗ってくるのがおかしかった。涙や鼻水が汚物と一緒に流れた。たぶん、サバか何かにあたったんだろう。二日寝込んだ。吟子さんはなぜか、平気だった。

秋になっても、わたしと藤田君は会っていた。彼には、すごく冷たかったり、すごく優しかったり、そういう起伏がない。わたしたちは似たもの同士だ、と思った。そうすると、街を行く恋人たちと同じように自分もちゃんと幸せであるような気がしてくる。

仕事帰りに待ち合わせをして、吟子さんの家で昼ご飯を食べ、だらだらと過ごした。わたしは彼を見つめる視線に、あまり力を込めないよう注意する。優しくではなく、なるべくそっけなく体に触れるようにする。

このあいだ、藤田君の煙草を盗んだ。わたしの部屋での昼寝のあいだ、脱いだぼろぼろのジーンズのポケットに入っているのを、まるごといただいた。彼はホープのメンソールを吸っている。緑色が好きだということで。

起きてすぐに聞いてきた。

「煙草、知らない？」

「知らない。ないの？」

「ないよ」

「落としたんじゃない？」

気付いただろうか。彼は何も言わなかった。窓際から見つめてみてもむすっとした顔のままだが、来て、と言うと裸のまま毛布をかぶり、畳をはってやってきた。二人で電車を何本か見送った。

「電車が通ると、ここまで風が来る気がしない？」

「そう？」

「ときどき、電車に乗ってる人をすごくうらやましく感じる。電車に乗ってどっかに行く用があるってことに。あたし、笹塚駅くらいしか行くとこないからさ」

「電車に乗ればどこにでも行けるじゃん」

「うん、そうなんだけど……じゃあ、一緒にどっか行ってくれる？」

「どこに？」

「山」

「山か」

「高尾山とか」

「暑そうだからやだ」

「そうね、暑いかもね、太陽に近くなるからね……」

藤田君は何も答えなかった。

垣根の向こうの小道から、黄色い帽子の子どもたちが何か騒ぎたてているのが聞こえる。行き止まりだと叫んでいる。一人が垣根を揺らし始め、残りもすぐに加勢した。緑の葉の隙間から、子どもたちの丸っこい手が見え隠れした。

「あの子ども、垣根を抜けるつもりかな」

「あれ、前も言ったけど、通り道作ったほうがいいんじゃない。駅から近くなるよ」

「うん。そうなんだけどさ」

「じゃあ、やるかあ」

藤田君が上半身を起こして、布団の脇の服に手を伸ばしたので、わたしは少し驚いた。

「でもあの垣根は、ずっとああってことは、吟子さんも何か思い入れがあるかもしれないし、どうなんだろう……」

「チーは考えてばっかりだね」

彼の声には、何かいつもと違うものが混じっていた。それは自分が吟子さんに意地悪なことを言うときの声に似ているようで、ふいに背筋が冷たくなった。

「そんなことないよ」

藤田君が無言のままこっちを見ているので、わたしはあせり、付け加えた。

「藤田君だってそうでしょ」

彼は大きな伸びをした。そして元の毛布にくるまって、再び垣根に目をやった。子どもたちは垣根を抜けるのをあきらめたのか、いっせいに駅のほうへ駆けていく。しばらく黙ったあと、わたしは気を取り直し、いつもの気楽な調子で言った。

「今日も夕飯食べてく？」

「うん」

「よかった。もう、住んじゃいなよ。アパート引き払ってさ」

藤田君は、無言でわたしの太ももをつねっている。

もうすぐ夕焼けだ。


それからちょくちょく、彼の小物をこっそりいただいている。

といっても、藤田君はあまり荷物を持たない人なので、彼の部屋にお邪魔したときに、いろいろとくすねている。缶コーヒーについてくるおまけのミニカーだとか、キーホルダーとか、ごつい指輪とか、パンツとか。持ち帰って、とくと眺めてから、靴箱にしまう。そのついでに、死んだ人を偲ぶように、わたしはそこに入っているものを取り出し、その持ち主だった人のことを思う。

クラスの人気者だった男の子の体育帽。前の席に座っていた女の子の花の飾り付きゴム。憧れていた数学の先生の赤ペン。間違えて投函されていた、マンションの隣人へのダイレクトメール。くしゃくしゃに丸めてあったティッシュを開けると、短い髪の毛が出てきた。陽平の髪の毛だ。寝ているあいだに、はさみで切って持ってきた。藤田君とは対照的な真っ黒なくせっ毛。両端をひっぱると、音もなく真ん中で切れてしまう。

箱に顔を伏せて、匂いをかいでみた。

そこに入っているものは、年々色あせていく。個々の匂いを失っていく。わたしは、変わっただろうか。

「吟子さん、あたしここに来たときと比べて、大人っぽくなった？」

「知寿ちゃんが？　別に変わってないよ。まだ半年くらいしかたってないでしょ」

「え。全然、変わってないの？」

「おばあちゃんに、若い人はよくわからないからね」

「あたしも、おばあさんはみんな同じに見える。自分の歳とか、覚えてる？　あたし、自分が何歳だか忘れるときがある」

「自分の歳くらいは覚えてるわよ」

「じゃあ、何歳？」

「七十一歳」

「それって、歳の割には若いの、それとも歳相応?」

「若いんじゃないの……」

「へえ、そうか」

わたしは来年二十一歳になる。この人は、わたしより五十年も長く生きている。その五十年の歴史をわたしが知ることは、たぶんないだろう。


藤田君と高尾山に行った。

紅葉のシーズンには少し早く、それほど混雑していない。山に登りきれいな空気を楽しんだあと、駅前で山かけ蕎麦を食べて帰ってきた。山登りのときは、ほとんど足元しか見ていなかった。藤田君は何もしゃべらずただ早足で登っていくので、それについていくのに必死だった。

「もっとゆっくり行こうよ」

息を切らしてそう頼んだら、彼は一瞬不思議そうな顔をして、ああごめん、とわたしの手をとった。

電車の中ではおそろいのスニーカーの足を投げ出し、ポッキーをかじりながら、とぎれとぎれに言葉を交わした。

つつじヶ丘駅で特急列車の通過待ちをしているとき、衝突音のあと、ずずずと鈍い音が続き、特急が停まった。乗り合わせた人々がざわつく。

ホームに出ると、駅員さんたちが続々とホームの端のほうに駆けていくところだった。線路に下りて、車両の下を覗き込んでいる。特急列車は、ホームを少し過ぎたところで停まっていた。一緒に電車の通過を待っていた人のほとんどが外に出て、その光景を無言で見つめている。

「これは、しばらく動かないな」

藤田君は、あまり関心がなさそうだった。

「最悪。飛び込んだの？　こういうの見たことある？」

「俺はない」

「死んじゃったかな」

「だろうね」

わたしは駅員さんたちの近くまで行ってみたかった。死んだ人がどうなっているか、気になった。

「歩いて帰ろう」

藤田君はわたしの袖をひっぱった。手をつなぐと、いつもの通り温かかったので安心した。

改札に続く階段の脇に、もみじの葉のようなものが落ちていることに気付く。目が悪いのでよく見えないが、血痕か、肉のかけらみたいだ。

指差すと、藤田君がげっと呟いて立ち止まった。わたしはその赤いものから、しばらく目が離せなかった。

「ねえ。ああいうふうには死にたくないね」

「俺は死なないよ」

「でも、死期は今でも近づいてるよ」

「そんなの、まだ遠いよ」

「でもさ……いつ死ぬかわかんないんだよ。何もしないまま、死んじゃうかもしれないんだよ」

「で？」

そう返されると、わたしは何も言えなかった。

吟子さんの家には、ホースケさん同様、藤田君専用の水色の箸が置かれている。駅でわたしの顔を見ても、もうたいして喜んではくれないのに、どうして一緒にいるんだろう。

認めたくないけれども、わたしはまた同じパターンに陥っている気がする。陽平と藤田君がわたしにとる態度はときどき似ている。本を読んでいるときに邪魔されたときの言葉とか、自分から歩調を合わせないところとか。

　わたしは、秋になって茶色い背広を着込んだ彼の働く姿や、電車の行く手を見つめる横顔から相変わらず目が離せないでいる。家にいるときの投げ出した足の汚い爪や、面倒そうにわたしを見る目でさえ、これがずっと続いていけばいいのにと思っている。


「吟子さんね、」

　ね、のところに思いきり力を込めて言った。

「あたしの化粧水、勝手に使わないでくれる？」

　吟子さんは、眉毛をあげて、目を見開いて、うん？　と聞き返した。

「あれ、若い子用のなんだからさ。おばあちゃんが使ったって効果ないよ」

「えっ何？　なんの話？」

「あのね、洗面所に置いてある、あたしの化粧水の話。あれ、高いんだから使わないでね。今見たら、こおんなに減ってるんだもん」

　と、わたしは親指と人差し指で五センチくらい示して見せた。大げさなくらいがちょうどいいのだ。

「そんなに使ってないよ」

　とぼけやがって、と思いながらもわたしは「あっそう」と縁側に座って爪を切り始める。

責め出したらきりがない。吟子さんは足腰も弱いみたいだし、細いし、大きな声も出ないようだし、いくらでもいじめられる。言葉でなじり倒して、泣かせることだってできるかもしれない。

このくすぶった苛立ちを、吟子さんは見て見ぬふりをしているのではないかと、わたしは最近疑い始めていた。あさはかな挑発には乗らず、あくまでとぼけとおそうとするその姿を見ていると、無性にむかむかしてくる。

しょせん力では勝てないのだから、という点だけでわたしは自信を回復していた。そういう自信は藤田君に対する自信のなさと反比例して、放っておけばどんどん攻撃的になっていってしまいそうで、吟子さんが消えてしまう気がして、わたしはいくらでも出てきそうな意地悪な言葉を意識して飲み込むのだった。

どんな理由であれ、わたしが出ていくのが先か、吟子さんが死ぬのが先か、何十年も先の話ではない。それまでは仲良くやりたい。

できれば、別れは穏便に、自然な形でやってきてほしいものだ。

笹塚駅に女の子のホーム整理員がやってきた。

一目見たとたん、不安に駆られた。来るべきものが来た、という感じだ。彼女はきびきびとして、無駄な動きがなかった。目が合うと、売店までわざわざ近づいてきて、わたしに声をかけた。

「糸井です。よろしくお願いします」

人なつこい犬みたいな目をしている。少し茶色い髪は、帽子からはみ出て後ろでひとつにくくってある。

「三田です。よろしくお願いします」

わたしの返事を聞くと、彼女は笑顔を見せて自分の持ち場に戻っていった。一條さんが指導している。小柄な彼女には茶色いズボンはぶかぶかで、肩パッドも大げさだった。人の波に押しつぶされそうで、わたしははらはらした。整理員、と書かれた腕章が何度もずり落ちた。

九時十分、藤田君が彼女に近寄って何か声をかけるのを見た。しっかり目に焼き付けてから、わたしは静かに目を閉じる。再び目を開けると、彼らはもう離れていた。

その日、わたしは一人で家に帰ってきた。最近、駅の外で待ち合わせて一緒に帰る回数は減ってきている。ひまなので、コンパニオンのアルバイトをまた少し増やした。藤田君も、新宿のレストランで夕方から働き出したらしい。ハイチ料理を出す珍しいレストランなのだと言う。なぜそんなところで働くのかと聞いても、「紹介されたから」という返事しか返ってこなかった。ハイチも新宿も、わたしにとっては同じくらい遠いところだ。

家に帰ると、玄関にはホースケさんの革靴があった。わたしはそのまま家には入らず、環八通りに沿って歩いていき、区民プールで水着を借りて長いこと泳いだ。

おばさんたちが列を作り、中年の男性講師に引き連れられて水中ウォーキングをしている。秋の平日のプールに、若い女はわたしぐらいしかいなかった。頭がくらくらするまで泳いで、プールサイドで休んだ。ベンチに横になっていると、窓の外の風景がやけにくっきりと目に映る。葉がなくなって枝ばかりの花壇の向こうに車の往来が見えた。道の端に捨ててあったビニール袋が強風に舞って、信号待ちをする車のフロントガラスに貼り付いている。歩道を走る自転車は前を行く歩行者が邪魔で、ハンドルを切りかねている。

今ごろ、家では吟子さんとホースケさんが仲良く落雁《らくがん》でも食べながらおしゃべりしているんだろう。


ホームで働く女の子はわたしと糸井さんしかいないので、彼女はわたしと仲良くしたいらしい。よく、声をかけてくる。「あったかいね」「寒いね」「眠いね」などと。

藤田君は彼女のことを「イトちゃん」と呼んだので、わたしも同じように呼んだ。

ホームの二人は、人の波にまぎれて、近づいたり、離れたりする。彼らが近づいていくところを見ていると、胃を両側からひっぱられているかのように体の中がじいんとする。見たくないのに、見てしまう。くせになるつらさだ。

イトちゃんが藤田君の袖をつまんで、何か言った。二人はこちらを振り返って、遠くからわたしを見つめた。気付かないふりをして、ガムやキャンディなどの補充をする。

「今日、一緒にご飯食べない？」

九時十五分になって、ホームを去っていく男の子のあとから、イトちゃんが声をかけてきた。

「え、今日？」

「うん。藤田君も一緒に」

「うん、いいよ。あたし十一時あがりだけど、いい？」

「付き合ってるの、知らなかった。さっき聞いた。ミタちゃんてずっとこっち見てるね、って藤田君に言ったら教えてくれた」

わたしはえへへ、と笑ったが内心おだやかでない。おじさんが缶コーヒーを差し出してきたので、イトちゃんは「じゃ」と駆けていった。「どうしよう」と呟いたら、おつりを受け取ったおじさんが「ああ？」と聞き返した。

宝くじ売り場のベンチに座ってわたしを待っていた二人は、微妙な距離を保ちつつ楽しげにおしゃべりしていた。かつてあたりを照らしていた夏の光は消えてしまって、アイス屋も店じまいしている。店の前に降ろしてある白と青の縞柄ののぼりは、吹きさらしになっているせいで今では捨てられた毛布のようだった。

イトちゃんとわたしの髪の毛は同じくらいの長さだ。アディダスのスニーカーを履いているのも同じ。小さな手提げかばんしか持っていないのも同じ。見ていたら、自分がイトちゃんの出来の悪いコピーのように思えてきた。わたしを待っていたこの一時間半ほどのあいだに、二人はああしてずっとしゃべっていたのだろう。交わす言葉からお互いをあれこれさぐって、距離を縮めていたのだろう。藤田君が他の女の子としゃべっているのを、ほとんど見たことがないのに気付く。藤田君とは、いつも二人きりだった。吟子さんはともかく、他の人とどんなふうにしゃべるのかなんて、想像したこともなかった。

突然、あそこで足を組んで笑っている彼が、自分とはまるで無関係な人間に思えてきて、余計に足がすくんだ。帰ろう、と思ったところで二人に気付かれた。

「おおい、ミタちゃーん」

イトちゃんは立ち上がって手を振った。いい笑顔だ。見ていると気分が晴れる。わたしもつられて笑った。

わたしと藤田君が並んでテーブルに着いた。向かいに座るイトちゃんはおしゃべりで、気取りがない。それなのにわたしはこの上なく居心地が悪い。イトちゃんの顔の上に、吟子さんのしわだらけの顔を思い描いてみたが、何も変わらなかった。

隣の藤田君はポテトをもそもそ食べている。ときどき何か言って彼女を笑わせている。二人に合わせて笑っている自分自身を、後ろから見ているような感じがした。同時に、そんな自分をさらに誰かに見られているような感じもした。

「ごめん、ちょっと用が」

わたしは立ち上がった。

「なんだよ」

藤田君が迷惑そうに見上げる。イトちゃんは心配そうな顔をしている。

「今日、ばあさんの病院に付き添うんだった。ごめん、ほんとごめん。失礼」

わたしはテーブルに千円札を置いて駅に向かった。思いきり走ったので、脇腹が痛くなる。

ホームから見る笹塚の空はすっきりと晴れていた。

目線を下げると駅前のケヤキ並木の下には絶えず人の往来があり、わたしはそこに二人の姿を探した。

帰ると、吟子さんはクッキーを作っていた。生地をのばして、型で抜いている。

「やだ、クッキーなんか……どうすんのこれ？」

「今日のダンスに持ってくのよ。子どもが見学に来るんだって」

「ふん。子どもね。いただき」

わたしは星型に抜かれた生地の一切れを台からはがして口に入れた。

「あっ。生なのに」

「焼いてないのが好きなんだ」

「体に悪いよ」

「ねえねえ、ホースケさんも来る、今日？　ホースケさんと、まだ仲いい？」

「え？　まあね」

吟子さんは手を止めず、こっちを向いて笑って見せた。

「あっそう……あたしはだめみたい」

「何が？」

「藤田君と」

「どうしたの」

「とにかくだめ。いつもそう」

「知寿ちゃん。考えすぎ、よくない」

「あたしが？　考えすぎてなんかないよ。ただそう思うだけ。予感がするだけ」

「そういうことは、考えてるほどよくもなければ悪くもないんじゃないかしらねえ」

「でも、どうせだめなんだろうなって考えると、だいたいその通りになるよ。考えないようにしようと思ってても、どうしても考えちゃうよ」

「型からはみ出たところが人間。はみ出たところが本当の自分」

吟子さんは、余った生地をまとめてのばし、抜き、まとめてのばし、抜き、を繰り返している。天板にはクッキーの星がぎっしり並んでいる。

「それって、あたしが暗い人間だってこと？」

「暗いことは悪いことじゃないよ」

「死んでも誰も泣かない」

「そんなことないわよ」

「誰からも好かれるのは、明るさ。器量の良さ。優しさ」

「よし、できた」

吟子さんは天板をオーブンに入れて、後片付けを始めた。鼻歌まじりに洗い物をしている。テーブルの端には、ラッピング用のピンクの小袋と金のひもが用意してあった。

「ねえ。あたしの話、聞いてる？」

「聞いてるよ」

「いいね、吟子さんは楽しそうで。苦しいことは全部やっちゃったんだもんね。何十年も前のことなんかすっかり忘れちゃって、毎日楽しいだろうね」

「知寿ちゃん、楽しくないの」

吟子さんは背を向けたまま聞いた。

「ちっとも、全然、楽しくない」

答えたけれども、勢いよく水の流れる音にかき消されて、吟子さんには聞こえなかっただろう。


今度はスケートに誘われた。

どうぞどうぞお二人で、とすすめてみたが、イトちゃんはがんとして譲らなかった。どういうつもりなのか、読めない子だ。単純にわたしと仲良くしたいのか、つらくさせたいのか。

「でも、まだ秋だよ」

「冬になると混んじゃうから」

「あたし、スケートやったことないもん」

「大丈夫大丈夫。すぐ滑れるようになるよ」

「ほんとに?」

「あたしが教えるから大丈夫。藤田君もできるから、両脇からがっちり支えてあげる」

なんでイトちゃんが知ってるんだ、と思いながら、彼女の後ろに背後霊のように突っ立っている藤田君に「そうなの？」と聞くと、「うん」とだけ答えた。寒いのか、両肩をいからせて腕組みをしている。二人が階段を降りていくのを見送ったあと、わたしはなんとなく自分の手を見た。店にいるあいだは手袋をしないので、指の関節が乾燥して赤くひび割れている。

昼食を食べたあと、高田馬場の駅からスケート場まで三人で並んで歩いた。イトちゃんは緑のニット帽に赤いカーディガン姿で、クリスマスみたいだ。わたしは藤田君を避けるように彼女とくっつき、腕を組んで歩いた。

スケート場はすいていた。スケート靴は重く、きつい。リボン付きのカラフルな衣装で滑っていく子どもたちを見て、あんなふうになりたい、と少しやる気がわいた。スケートリンクに降りたが、壁から手を離せない。藤田君は手を後ろで組み、すました顔で滑り始めた。イトちゃんはわたしの左手をとって、熱心に指導してくれた。なんとかリンクを一周したところで、わたしたちは壁にもたれて、藤田君がマフラーをなびかせて滑っていくのを見学した。

「藤田君、うまいね。薄情だけど」

「うん、ミタちゃんのことほっぽっといて、ちょっとひどいね」

「藤田君は、いつもああ。あたしのこと、そんなに好きじゃないみたい」

「そう……」

イトちゃんは気の毒そうな顔になっていた。わたしは、自分が作ったらしいその顔を、近くに置いておきたくなかった。見ていると、自分が本当に気の毒な人間であるように思えてきてしまうのだった。

「イトちゃん、滑ってきていいよ。あたし壁で練習してるから」

「え、いいよ。付き合うよ」

「ううん、いい。行ってきて」

そう？　とイトちゃんはいっそう気まずそうな顔をして、行ってしまった。藤田君に追いつくと、並んで滑り始める。スケートをする若い男女って楽しそうだな、なんて、わたしは靴で氷の表面をこすりながら思う。

イトちゃんは、いつまでたっても壁から手を離せないわたしを追い抜くたびに、近寄ってきて、「大丈夫？」と手をとってくれた。「壁の手、離してみて。絶対大丈夫」と勇気付けてくれた。わたしはおそるおそる手を離して、イトちゃんの手を手袋越しにぎゅっと握る。

「ほらほら、藤田君、右手持ってあげてよ」

言われて初めて、藤田君はわたしの横に来た。

二人の手を力いっぱい握り締め、よろめきつつ歩く。歩くことはできるけれども、かかとで蹴って滑り出せない。右に傾き左に傾き、うまくバランスを取れない。あんまりわたしが体重をかけるので、

「きゃああ腕がもげるう」

とイトちゃんが悲鳴をあげた。あわてて藤田君のほうに体重をかけると、うわっと言ってよろけた。わたしたちは三人そろって尻もちをついた。スケート靴でしめつけられた足の爪がきりきりと痛む。もう帰りたい。どこか暖かいところで、一人ココアでも飲みたい気分だ。


勤労感謝の日、隣の駅の文化会館で吟子さんのダンスの発表会があるというので、藤田君を誘って行ってみた。

会館までの道は車通りが少なく、埃っぽい風が吹き、わたしたちはそろって無口だった。家を出て「寒い」と言ったきり、何もしゃべっていない。わたしが不動産屋の窓に貼られたアパート情報に立ち止まっても、彼は早足で行ってしまった。

会場に着くと、絵手紙やら書道の展示なんかでロビーは埋め尽くされていた。派手な黄色いレイを首にかけ、アイラインを濃くひいたおばあさんの一群が、お化粧の匂

いをまき散らしてそこを横切って行く。

ホールに入ると、満席に近かった。小さなホールだが、新しく、設備はよさそうだ。ステージでは白いブラウスを着たおばあさんと小学生くらいの子どもたちがハンドベルを演奏中だった。それが終わると、吟子さんが紫のフリルだらけの衣装に身を包み、その他大勢のお年寄りと一緒に登場した。手をとっているのは、蝶ネクタイ姿のホースケさんだ。なかなかお似合いである。濃い紫のアイシャドーをつけた吟子さんは、誇らしげに背筋をぴんと伸ばしている。

音楽がかかり、ゆるいダンスが始まると、わたしは少しだけ嬉しくなった。

「いいなあダンス」

「うん」

「あたしもやりたいな」

「……」

「やったら、一緒に踊ってくれる?」

「やだ」

客席にいるあいだ中、わたしはずっと藤田君の手を握っていた。消えないでね、と念じながら。藤田君は何度もあくびをした。

途中からは、眠っていた。

「俺、しばらく来ないよ」

夕食を終えて、わたしの部屋で藤田君は言った。来たな、と構えた。

わたしは聞かないふりをする。昆布茶の入ったマグカップをふうふうと吹いている。

「チー。聞いてる?」

「聞いてなあい」

「聞いてるね」

藤田君は、鼻で笑った。その笑い方にわたしはひるんだ。知らない、怖い人のように見えた。

「もう、しばらく来ないつもり」

「……」

「ということで」

「なんで」

「まあ、いろいろ」

「なんなの」

「だから、いろいろ」

彼はそれ以上、何も言いそうになかった。煙草に火をつけて、口笛を吹くように煙を細く吐き出した。

「もう来ないの？」

「さあ……」

「好きな人がいるんでしょ」

「いや。そういうわけでもなく」

「知ってるよ」

腕に手をかけると、藤田君はよそよそしく、身を引いた。

「イトちゃんでしょ」

「違う。わからん。すまん」

「言えばいいのに」

じっと見つめたら、目をそらされた。

「ねえ、どうしてそんなに簡単にするの？」

「え、何が簡単なの？」

「全部……」

「全部って何？」

「わかんない」

わたしは、心変わりを責める気にはならなかった。藤田君が行ってしまうのは嫌だけれど、どう引き止めればいいのかはわからなかった。「そんなのだめだよ」と言うのが精いっぱいだった。

ちょっと考えておいてよ、とか言って、あまり考えた様子のない藤田君は帰っていった。

居間に入ると、吟子さんが刑事ドラマを見ながらマフラーを編んでいる。わたしにだろうか。オレンジ色の目の細かいマフラーだ。壁に寄りかかりながら、しばらく眺めた。

「それ、あたしに？」

「ああ？」

「そのマフラー、あたし用？」

吟子さんはうーん、とあいまいな返事をした。眼鏡が鼻までずり落ちている。

いいやもう、と思って自分の部屋に戻った。窓ガラスが長いこと揺れていた。しばらく窓辺ですきま風にあたる。向かいのホームに、藤田君の姿はなかった。

ここに来るのは、もしかして今日が最後だったのかもしれない。そう思うと、振り向けなかった。彼が座った座布団や口を付けたマグカップに触れるのが、面倒だった。このまま全部、なかったことにしようか。仲良くした男の子たちの中の一人として、藤田君に関するいっさいがっさいを、記憶の奥に葬ってしまうのだ。鴨居に並ぶチェロキーたちみたいに、個性をなくして、ただの死んだ猫みたいにしてしまうのだ。やれるかどうか、目をつぶって自問してみた。無理だと思った。わたしはまだ、藤田君に行ってほしくない。

いつの間にか、執着心が生まれている。このねばねばとした扱いづらい感情は、喜ぶべきなのか、嘆くべきなのか。

わたしは、胸に強い思いがあって、毎日辛抱強く念じていれば、いずれ通じるものだろうと思っていた。

そういう訳でもないらしい。

藤田君は、電話をしてもメールを入れてもそっけなく、わたしは彼の世界から除外されつつあるようだった。

笹塚駅では、彼は故意に視線を避ける。イトちゃんは、いつもと変わりなく接してくれたが、わたしは短い受け答えしかできなかった。

笹塚のアパートに行ってみても、いつも留守だった。同居人の男は、いかにも同情するようなふりをしてわたしを追い払った。玄関の向こうから、男の笑い声が聞こえる。藤田君の笑い声も混じっている。居留守を使うほど会いたくないのか。これには、さすがに傷ついた。頭を冷やそうと笹塚から三時間近くかけて歩いて帰ってきたが、逆にみじめになるだけだった。

あくる晩、今から行くと電話があり、喜び勇んだわたしは化粧を直して待ちかまえていた。彼は、貸していた本やＣＤや鍵を持ってやってきた。

「あがってお茶でも……」

玄関口でのその一言に、勇気がいった。

「いや、いいよ。俺、行くとこあるから」

「そう……」

さらりと言うので、わたしは思わずその流れにのってしまう。心に反して、ものわかりのよい人になってしまった。何も言わなくとも、もうだめなんだ、と相手に思わせるその表情や距離のとり方を、彼はどこで覚えたんだろう。

「吟子さん、呼んでこようか」

「いいよ別に」

「会わなくていいの？」

「俺たち、三人で付き合ってた訳じゃないでしょ」

「そうだけど……」

「この家にいると、自分がすごい歳とっちゃった気になるんだよなあ」

それで何が悪いの、と思ったけれども、わたしはあいまいに笑うことしかできなかった。今さら何を言ったって、たぶん良くも悪くもならない。

「あのさ。俺はなんでも簡単にするって言ってたけど、それは違うと思うよ。ただチーが、」

「いいよもう」

上がりがまちにいるわたしと、一段低い玄関に立つ藤田君だが、藤田君のほうがまだ背が高い。いつも見えるのはのどぼとけあたりだが、今は少し目を上げるだけで視線が合う。何度もこの角度で彼を出迎えたり、見送ったりした。

自分が作ってしまった沈黙に耐えられず、最後をしめっぽくしたくなかったわたしが、

「じゃあね」

と笑顔で手を振ると、

「じゃあね」

と彼は返した。

「連絡しないほうがいいね」

「できれば、そう」

「じゃ、そういうことで」

心では、違う違うと叫んでいる。

元気でねえ、と間のびした声でわたしは藤田君を見送った。

引き戸が閉められると、足音はすぐに聞こえなくなった。あとを追おう、と思ったのに、足が前に出なかった。

行くところがあるって、いったいどこなんだろう。

居間では、吟子さんが湯飲みを前にテレビを見ていた。向かい合ってこたつに入ると、ほらね、という顔で目を見開いた。

「何その顔」

わたしはこたつに入って、なんでもないふうに新聞を広げた。そのあいだ、吟子さんがこっちを見ているのはわかっていて、いらいらした。

「今の、聞いてたの?」

「何が?」

「聞いてたくせに」

吟子さんはこんなときでもふふふと笑って、言う。

「人って嫌ね」

「……」

「人は、去っていくからね」

彼女は沸騰しているやかんの火を止めにいった。

台所の椅子に、チェックのネルシャツがかかっている。秋口、藤田君が忘れていったのを寒いときに吟子さんが着ていた。

吟子さんは指差すと、

「これ忘れたね。どうするの」

と尋ねた。何十もの言葉が頭の中で混ざり合ったが、出てきたのは、「知らない」の一言だった。

寝転がって肩までこたつにもぐると、目の前に吟子さんの緑の毛糸の靴下が現れ、鼻先にレディーボーデンのミニカップと小さなスプーンが置かれた。

「食べれば」

わたしは顔までこたつにもぐって、アイスを食べた。

食べるうちに、やっぱり涙が出た。バニラ味は藤田君のいちばん好きなフレーバーで、チョコとかストロベリーとかは、絶対に食べようとしなかった。知ってか知らずか、わざわざこれを選んできた彼女にかすかに腹が立った。吟子さんだって、ゆくゆく去っていくんでしょ、と心の中で呟くと、逆に、行かないでよ、と自分が思っていることを認めたようで、老人にしか助けを求められない自分が情けなかった。

救いようがない。いつになったら、ひとりじゃなくなるのだろうか。思って、はっとした。わたしはひとりが嫌なのか。ひとりが嫌だなんて、子どもじみていて恥ずかしいと思っていたのに。

クロジマが丸くなってこたつの隅で眠っている。昔のこたつは炭火をおこして暖かくしていたから、気付くと中で猫が死んでることがあった、と吟子さんが言っていたのを思い出す。足の先で背中の丸くなっているところをじりじりと押していったら、目を開けて面倒そうに体を少しずらした。

毛玉だらけの緑色の靴下を穿いた吟子さんの小さな足が、体を丸めたわたしの顔のすぐ横にある。

今はもう、悲しい、というより、情けなくて涙が出る。

朝起きると、一日の予定が全くないということに、ほとんど恐怖に近いものを感じた。

首筋が寒くなり、もう一度目を閉じて眠ろうとしたが朝の光がまぶしく、布団の中でその恐怖をなんでもないふうに飲み込んでしまおうとしたが、だめだった。わたしは駅の売店のアルバイトを辞めていた。藤田君が最後にこの家に来た、二日後に。

台所に行くと、いい匂いがした。カレーの匂いだと感じる間もなくよだれが出た。流しの窓から差す光で、鍋をかき回す吟子さんの後ろ姿がよく見えない。彼女の悲しみや怒りはどこへ行ったのだろう。しゃべる言葉と一緒に吐き出してしまったのか。使い果たしてしまったなんてこと、本当にあるのだろうか。

「何作ってるの」

「カレー」

吟子さんは、振り返らなかった。わたしは横に並んで、鍋の中で煮えているものを見つめた。

「朝から……」

「食べる?」

「食べない」

「そうかい」

「前も言ったでしょ、若いからってカレーが好きなわけじゃないよ……」

言葉を発するのもしんどく、しゃべっているうちに語尾が消えてしまう。彼女は平たい皿にご飯を少しだけよそい、小さな具を選んでカレーをかけた。煮詰めるからそこでもう少し見てて、と言ってこたつの部屋に行ってしまった。

わたしは静かにカレーをかき混ぜた。ふすまの向こうから吟子さんのスプーンの音が聞こえた。だんだん心も静かに、平たくなっていった。混ぜながら、自分の悲しみがどんどん鍋のカレーに溶け出していくところを想像した。

やることがないので、隣の駅の図書館に行こうと歩いていたら、高架のブロックに落書きがしてある。青いスプレーの漢字が連なった最後は、「生きていられると思うなよ」と、元気よく締めくくってあった。

生きていられると思うなよ、かあ。

魂の叫びって、こういうことだろうなあと思う。

憎しみや怒りのすぐそばで生きている若者が目に浮かぶ。たぶん、わたしより若いだろう。危ないこともたくさんしているのだろう。

そんなふうになりたいものだ、と思いながらコンビニに入り、チョコレートを買って嚙み砕きながら歩く。いちょうの遊歩道のある公園に入り、枯葉を蹴り散らしながら早足で行く。左手にある小学校では、水色のフェンスの向こうで半袖半ズボンの子どもたちがかん高い声で騒いでいた。ジャージ姿の先生が笛を吹くと、一瞬で静まり返る。

わたしはフェンスをつかみ、変質者っぽく思いきり顔をくっつけてみた。キンモクセイの匂いがする。列を作った子どもたちが、かけ声を出して走り始める。

死にたいな、と思った。

藤田君と見た、人身事故の光景を思い出す。ホームに飛び散っていた、もみじのような血の跡。

自分の体を切っても、あんなに鮮やかな赤い血が流れるだろうか。茶色くにごった血がどろっと流れるだけという気がする。

なんだか疲労している。つもりつもった独り言にも、夏とは違う空の青や子どもたちの細い足を見るのにも、単調な遊歩道を歩くのにも、その先に待つおばあさんとの生活にも。

乾いた風が吹いて、髪の毛が顔にかぶさる。春に切った髪の毛はずいぶん伸びた。季節や、体や、どうでもいいことばかりが変わっていく。

冬

吟子さんが、変なワンピースを着ている。肩幅が全然合っていない。腰回りのリボンはずいぶん下に落ちているし、下にコートを着ているのかと思うくらい、不自然にだぼついている。てるてる坊主に足が生えたみたいだ。

「何その格好」

と冷たく言うわたしに、

「これ、妊婦さんが着るやつね」

と答えてきたので、言葉を失った。とうとう呆けたかな、と思った。

「妊娠するつもり？」

「ほほ。できたらいいけどね」

「もう無理だよ」

「そうかしら」

「子どもって、裏切るよ」

「そりゃあ、持ってみないとね」

「じゃあホースケじいさんにお願いすれば」

ホースケさんは、相変わらずよく家に来る。わたしは、彼の仁丹をすでに三つ盗んだ。飴も数えたら十二個になっていた。彼からはそれくらいしかとるものがない。そろそろ気付いていてもいいころなのに、知ってて何も言わないんだろうか、あのおじいさんは。

「どうして恋は終わるの。どうして吟子さんの恋は終わらないの」

「これが、年の功」

「なんか、お年寄りってずるいね。若者には何もいいことがないのに」

「若いうちはたくさん恋すればいいじゃない」

「そういうの、むなしいよ」

わたしは藤田君から盗んだものを、毎晩眺めている。最初にくすねた煙草を一本吸ってみたが、しけっていておいしくない。

庭の雑草は全部枯れた。

猫も外に出ていかない。わたしと一緒に石油ストーブの前でごろごろと寝転がっている。

「お前たち、いつ死ぬの」

 クロジマもチャイロも、わたしがひげをひっぱると迷惑そうな顔をして台所に行ってしまった。お膳の上には、菓子皿にみかんが山盛りに積んである。

追うものなどなく、去っていくばかりに思えるのに、わたしの心はあせっている。

ピアノをめちゃくちゃに、叩くように弾きたい。

箪笥の中の洋服を全部燃やしたい。

指輪や、ネックレスやら、ビルの上から投げ捨てたい。

煙草を一度に十本吸いたい。

そうしたら、振りきれるだろうか。

ちゃんとした生活など、いつまでたっても自分にはできない気がした。手に入れては投げ出し、投げ出され、投げ出したいものはいつまでも一掃できず、そんなことばっかりで人生が出来ている。


吟子さんと一緒にいる時間が多くなった。最近は、夜のアルバイトにも行かなくなっていた。

十一時ごろにわたしが起き出すと、彼女は刺繍をしながらお茶を飲んでいる。最近はハンカチに青い花をつけるのが好きらしい。家中のハンカチをひっぱり出してきて夢中で縫っている。

その日は藤田君とスケートをする夢を見た。わたしは相変わらず壁から手を離せず、自分を助けようとしない彼にやきもきしていた。たまらなくなって小さい子どものように大声で名前を呼んでも、彼はやってこなかった。スケートリンクはなぜか高尾山につながっていて、わたしはスケート靴を履いたまま山を登っていった。リンクにいる人たちが戻ってこいと叫んだけれど、声が大きくなるほどわたしはむきになって細い山道を駆け上がった。

目覚めると足がずっしり重かった。手も洗わず、うがいもせずに、湯飲みを持ってこたつに入り、吟子さんにお茶をついでもらった。

「生きてる意味がない気がする」

ぼやくと、

「何、意味?」

と聞き返す。

「吟子さん、」

聞こえないくらい、小さく呟く。

「意味がないよ」

返事はない。

思い出すのは藤田君のことだった。その他、仲良くしていた人たちのことを考える。そして不安になる。他の人との縁は頼りない。わたしは、誰かを自分としっかりつなぎ合わせておくことができないらしい。一人で暮らしてみたいとも思う。去られるのではなく、一度は、自分から去ってみたい。

出ていこうか。

すっぱり縁を切って、誰も、何もないところで一から出直したい。それでも、またそこで新しい関係が始まるのだろう。そして気がつくと終わりを迎えているのだろう。その意味なんか考えず、ただ繰り返していれば、人生だって終わるんだろうか。目の前のこのおばあさんは、そういうことを何回繰り返してきたのか。

「ワープしたい」

「ええ?」

「吟子さんの歳までワープしたい」

「ワープ?」

「何十年もすっとばして吟子さんくらいまで歳をとっちゃいたいってこと」

「何言ってる。今、いちばんいいときじゃないの。お肌もぴちぴちして」

やっぱり、肌のことは気にしていたのか。あれだけ見せつけたのだから当然かもしれない。

「お年寄りはみんなそう思ってるかな。若いころって、ほんとにいいときなのかな。いちいちくよくよして悲観的で、疲れるよ。そういうの、もうめんどくさいんだ」

「若いころは、むやみに手を伸ばすからね。わたしみたいに歳をとると、出せる手もだんだん減っていくのよ」

吟子さんの手元には、黄色いめしべを付けた青い花が、見え隠れしている。彼女は絶えず指先を動かしている。

「おばあちゃんって、楽?」

「ふふ。知寿ちゃんには、そう見える?」

「見える。若者は全然、楽しくない」

「でも、楽しいときだってあったでしょう」

「ない」

「ちゃんと思い出してごらん」

「思い出したからって、楽しさが戻ってくるわけじゃないよ」

「そんなことない。丹念にやれば、戻ってくるのよ」

吟子さんは青い糸の始末をして、刺繍したところを指先で軽くひっぱった。「これどう?」と言って顔の前に広げる。白い生地に彼女の顔がうっすら透けて、死んだ人にかぶせる布みたいだった。

ときどき電話がかかってきていたコンパニオン会社の登録も解約し、わたしは池袋にある会社で事務のアルバイトを始めた。新しい仕事場は浄水器を売ったりレンタルしたりする会社だった。月曜から金曜の九時から五時まで、みっちり働く。

浄水器のパンフレットを封筒に詰めたり、顧客リストのデータをひとつひとつ指差し確認しながら、これから待ち受けている最悪のパターンを思い浮かべてみる。大地震。大火事。ガス漏れ。吟子さんが死ぬ。母が死ぬ。お金がなくなる。着るものがなくなる。家がなくなる、など。恋人もなく、友達もなく、ずっと住める家もない。頼れるのは自分の心と体だけだが、これもいまいち信用ならない。それでも、なんとか一人で、どうにかしなくてはいけないのだろう。

封入が終わって、うずたかく積み上げられた封筒の山を見ると、達成感があった。せいせいする、とでもいうか。仕事はした、という気持ちになるのだ。

ピンクのベストとグレーのスカートの制服はいかにもＯＬふうでやぼったく、仕事量のわりに三時のおやつが豪勢なので数キロ太った。朝は寒いので布団から出る気がせず、身づくろいする時間を削って化粧も雑になってきているし、コンタクトではなく眼鏡を着用するようになった。

わたしは、どんどんかわいくなくなっていく。

会社のトイレで鏡を見るたびに、

（これはひどい）

と苦々しく思う。

毎日風が冷たい。仕事を終えるとマフラーや帽子や手袋に埋もれるようにして、足早に退社する。毎年いらいらさせられていたクリスマスのイルミネーションも、楽しい人は勝手に楽しくやればいい、と思ったきり、なんとも思わなかった。


クリスマスには、ホースケさんをまじえ、三人でお祝いをした。

といっても、ケーキを食べただけだ。飾りつけもプレゼント交換も、この家には縁がない。ダンスの発表会のときほどではないが、ホースケさんは多少めかしこんでやってきた。ツイードのコートの上に、見覚えのあるオレンジ色のマフラーを巻いていた。いつもはぼさぼさの白髪頭をしっかりとなで付け、ネクタイを締めている。気付けば、吟子さんも少し細身のワンピースを着て、おしゃれしている。ジーンズにはんてん姿だったわたしも、なんとかこぎれいな格好をしようと部屋に戻った。

鏡の前であれこれ服を当てていたら段々その気になってきて、久々にアイラインなんかも引いて、ぱっと居間に現れてみた。

「あらあ素敵ね」

「そう？」

わたしは、光沢のあるベージュのワンピースを着ている。いとこの結婚式で着たやつだ。髪をアップにして、真珠のネックレスもしてみた。

「若いから、そういう明るい色が似合うわね」

ホースケさんも目を細めてこっちを見ている。

「似合います？」

わたしは彼の前でくるっと回って見せた。

「似合ってますよ」

「ありがとうございます」

おしゃれしたわたしたちは、いつも通りこたつで食事を済ませ、しめやかにクリスマス仕様のショートケーキを食べた。

藤田君は今ごろ何をしているんだろう。三角帽子をかぶったイトちゃんと、楽しくクリスマスパーティーだろうか。自分でも驚くほどにその風景がはっきりと思い浮かんで、生クリームだらけの口の中が苦くなった。

「旅行に行くんだけど」

ケーキをフォークでつつきながら、吟子さんが言った。

「えっ？」

「ホースケさんと旅行に。知寿ちゃんも来る？」

「あたしは……どこに？」

頭の中では、三角帽子をかぶった二人の姿がまだ消えていない。

「小名浜」

「どこそれ？」

「福島の港町」

「寒そうだね。いい。あたしは留守番してる」

「来年だよ。まだ先だよ」

「仕事もあるし。あたしはいいから行ってきてよ」

彼女なりに、わたしに気をつかっているのだろうか。失恋から立ち直れていないように見えるのだろうか。

でも少しずつ、この状態に慣れていくのだ。何度も繰り返してきた。藤田君がどんなに他の男の子と違うように思えたって、こういう抜き差しならない状況から知らず知らずのうちに回復していく段取りは、きっとうんざりするほど同じパターンなのだ。

年が終わる前に、再び母が帰ってきた。

今回はちゃんと玄関から入ってきた。年甲斐もなく、真っ白なコートを着ている。

顔色はよく、元気そうだ。

「よっ」

こたつでするめを切っていたわたしを見て、手を上げた。

「なんだそのざまは。若いんだからもっとこぎれいにしなさいよ」

「いいのこれで」

仕事が休みなので、まだパジャマのままだった。起きてから一度も鏡を見ていない。伸ばしっぱなしの髪の毛に手を当てると、右側だけが思いきり外ハネしていた。口の端にはよだれの跡がついているらしく、爪でこすると白いかすがお膳の上にぱらぱら落ちた。

吟子さんは台所でごまめを炒っている。

母は今回も新宿のホテルを予約していた。年をまたいで四連泊だ。三日には、また中国に戻ると言う。お正月に吟子さんを一人にしてしまうことには、少し気が引けた。かといって母を一人にするのもかわいそうだった。吟子さんの家に泊まればいいのに、それはどうしても嫌なようだ。昔の引け目がまだ残っているのだろうか。

夏と同じように、今回もホテルのラウンジでケーキバイキングをする。チョコレートファウンテンにイチゴをひたしていたら、母も真似をした。

「これ楽しいわね」

「うん」

「あのさ。実はね。結婚するかもしれないの」

金の串に五つもイチゴを刺した母が、突然言った。

「は？」

わたしは手を止めた。

「結婚するかもしれないのよ」

涼しい顔でなんでもないことのように言いきって、イチゴの串をチョコレートの滝に突っ込む。

「誰と？」

「うん。現地の人と」

わたしはなぜか、夏に会ったときの母の爪を思い出した。指先を見やると、今日も薄いベージュのマニキュアが塗ってあった。とりあえず何か言わなくては、と思う。

「そりゃあ、どうも」

「何よ」

「いいんじゃない」

「いい？」

「その歳になって、あたしにお伺い立てなくてもいいでしょ」

「そう？　じゃ、あしからず」

母はチョコレートで赤いところが見えなくなったイチゴを皿に置き、今度は半月形のメロンを串に刺してこっちに差し出した。受け取って、それをチョコレートにひたす。中国人の妻になる母というのがどういうものか、想像してみた。ぎょうざを焼いている母の姿くらいしか思い浮かばなかった。

「リー瑞枝とか、チョウ瑞枝とかになるの……」

「なんないわよ」

「え？」

「結婚しようと言われただけで、する気はない」

「なんだ。どうして？　すればいいじゃん」

「ま、いろいろと。仕事も忙しいしね、いつかするかもしれないけど、今はしない。どう、びっくりした？」

「別に。もったいぶってると相手が逃げるよ」

母は、逃げないわよ、と短く笑って言葉を続けた。

「それよりさ、中国ってそんなに悪くないわよ。いろんなものを見るチャンスだし、まだ来たかったら……」

「行かない。日本にいる」

「そう。じゃあ、本当に母子離散ね」

「そうですね。ははは」

「ほんとに、いいのね」

いいって何が？　と思うと、嬉しいのか悲しいのかよくわからない感情がこみあげてきて、わたしは今すぐ母から離れたくなった。流れていくチョコレートをひたすら目で追っていると、母が覗き込むようにしてわたしを見るので、仕方なく目を合わせて、言ってあげた。

「いいってば……」

母はまだわたしの言葉を待っている。はっきり、もう一度言った。

「いいってば」

果物の皿を持って、早足で席に戻る。食べ始めても、母はまだチョコレートの滝の前にいた。する気もないのに、どういうつもりで再婚の話題なんて持ち出したんだろう。ああいう反応で、よかったのだろうか。

お皿を色とりどりのケーキで満杯にしてやっと席に戻ってきた母は、何も言わずにその半分をわたしの皿に取りわけて、満足そうな顔をする。フォークで自分の皿をつつきながらも、機嫌を伺うようにときどき娘の顔を盗み見ているのを、わたしは横目で感じ取っていた。

部屋に戻ると、クリスマスプレゼントだと言って、母は派手な包みをくれた。熊のぬいぐるみだった。

「ありがとう」

正直、あんまり嬉しくない。かわいいはかわいいが、どうせなら指輪とか、ネックレスとか、手鏡とか、そういうかさばらないものが欲しかった。

「お年玉は」

手を差し出すと、ぺん、と払われた。

「何言ってるの、もう大人でしょ」

大人なのになんで熊のぬいぐるみなんだろう。わたしは熊を抱いたまま自分のかばんをあさり、小さな包みを取り出して、母のベッドに放った。

「何これ」

「あげる」

「あらあ……」

母は嬉しそうに包みを開ける。がっかりしませんように、とわたしは鏡越しにその姿に祈る。

「きれいねえ」

彼女は早速そのブレスレットをつけて、手首をかざした。

「気に入った？」

「気に入った。ありがとう。あんたも大人になったわね」

「ええ、ええ、大人ですとも」

「写真見る？　ワンさんの」

「ワンさんて誰」

「その、結婚したいって言ってる人」

彼女はハンドバッグの手帳から三枚写真を取り出した。一枚目はワンさん、二枚目は母とワンさん、三枚目は母とワンさんと小さい女の子が写っている。ワンさんは眼鏡をかけていかにも優しそうなおじさんだ。

「誰この子」

わたしは母に抱えられて笑顔満開の女の子を指差した。

「ワンさんの子ども。日本語読みで、ケイカちゃん」

「コブつきなんだ」

「かわいいの。日本に来たいって」

わたしは将来妹になるかもしれないその女の子をしみじみ眺めた。中国人の妹ができるのか。わたしたちは、中国語と日本語を教えあったりするのだろうか。

目を上げると、母は誕生日会の主役みたいな顔をしている。母と自分とをつないでいる糸の一本がぷつん、と切れたような気がした。こうやって彼女の荷物が増えていけば、わたしの重みはだんだん消えていくのだ。

写真を返して、窓辺に行く。そこに映る自分の顔を見ているつもりが、気付くと遠い歌舞伎町のネオンをひとつひとつ目で追っている。

大晦日の夜、吟子さんに電話した。今年はどうもお世話になりました、くらい言おうと思ったのだ。もったいつけて夜の十時過ぎに電話したのだが、寝てしまったらしく、十回ベルを鳴らして切った。ホースケさんの家に行っているのかもしれない。むしろ、そうであってほしい。

「ねえねえ、吟子さんて再婚しなかったの？」

「え、知らない」

母はすっかりくつろいで、ベッドの上で美容体操をしている。腕を変なふうに曲げたり、体をねじったり。

「だんなさんが死んでから、ずっとあそこに一人で暮らしてたのかな」

「あんたが生まれてすぐあいさつに行ったけど、そのときはけっこう端正な顔の男の人と一緒に暮らしてたよ。そのときは再婚したんだと思ってたけど、あとから聞いた話じゃ違ったみたい。そんなの、自分で聞けばいいじゃない」

「いや、今さらなんとなく聞きづらいよ」

「あまりお付き合いなかったからねえ。お母さんもよくは知らない。でもいい人でしょ」

「うん、いい人なんだけど」

「けど、何」

「ちょっと変わってるよね」

「変わりもの同士ちょうどいいわよ」

「呆けないか心配」

「え、すでにちょっとあやしくない？」

「どこが。まだだよ。まだ大丈夫」

一緒に暮らしていない人から見れば、そんなふうにも見えるのだろうか。わたしが見る限り、吟子さんはまだだいぶしっかりしている。

年が明けて、また電話してみたけれど、ベルは鳴りっぱなしだった。やはり、ホースケさんのところに行ったのだろうか。それでも念のため、元日のお昼に家までこっそり見にいった。風呂場で倒れていたりしないことを祈りながら。

玄関を開けると猫二匹が出てきて、やかましく鳴いた。吟子さんが一晩留守にしたことなどなかったのだろう。猫用のえさ皿にキャットフードが山盛りになって、そのへんにも散らばっている。

玄関には、吟子さんがいつも履いている紺色の靴がなかった。それでもわたしは、全部の部屋を見て回った。吟子さーん、と名前を呼びながら。


一月三日の夕方に、わたしたちは今年初めて顔を合わせた。

「あけましておめでとうございます。今年もよろしくお願いします」

吟子さんは深々と頭を下げた。わたしも負けずに頭を下げた。かっぽう着の下には、またぶかぶかのワンピースを着ている。

「それ着心地よさそうだし、楽そうだし、あったかそうだね」

「これ？　そうなの、いいでしょ」

「お年玉は？」

だめもとで手を出したら、驚いたことにぽち袋が返ってきた。自転車をこぐミッフィーの柄だ。

「わあ。いいの」

「去年お世話になったからね。どうぞもらってくださいな」

「ありがとう。もらえるとは思ってなかった」

吟子さんがお茶を入れに立ち上がったすきに中身を覗いてみたが、千円しか入っていなかった。

電話をかけたり、家を見にきたことは言わないでおいた。年越しをどう過ごしたか、自分から言わないということは、知られたくない、ということかもしれない。


年明け初出勤の日、上司に呼ばれた。

ごましお頭の上司のデスクには、スーパーで売っているような安い鏡餅の飾りがちょこんと載っていて、とりあえずわたしはそれをかわいいですねと褒めた。正月は何をしたのかとかいう世間話を一通り交わしたあとに、彼はちょっと間を置いた。そして、正社員にならないか、となぜか小声で切り出してきた。

「はあ。わたしがですか」

「そうなんだよ。ちょっと人員調整があってね。三田さん、真面目にやっているみたいだし」

「正社員ですか」

「うん、ちょっと考えてくれる。社員寮に空きがあるみたいだからさ、よければ引っ越してもいいよ」

考えます、と返事して、さあどうしよう、と思った。ついに身を落ち着けるときが来たのだろうか。

　四月からこつこつ稼いでいたけれども、お金はまだ三十五万円しか貯まっていない。東京に出てきてからもうすぐ一年たってしまうが、目標の百万円には程遠い。正社員になれば、もっと稼げるだろうか。お金を貯めて何がしたいわけでもないけれども、いちばん現実味のある目標といえば、貯金百万円、という具体的な数字しかわたしにはない。

　あの家を出られるのか、と真剣に考え始めたら、なんだか吟子さんに悪い気がしてきた。これが情というものだろうか。せっかくなじんできたのに、自分から出ていくこともないじゃないかという思いもよぎった。

「社員寮ってどうですか」

　お昼の時間、一緒に昼食を食べる安藤さんに聞いた。社員食堂がないので、コンビニで買ってきたものを屋上の喫煙室で食べる。天気がいいと外に出てみたりもするが、寒くてすぐ中に戻る。

「寮？　ここから電車一本だし。楽だよお。三田さん、調布のほうから来てるんだよね？」

「楽なんですか……」

「そりゃあね。安いし。まあまあきれいだし」

「安くて、まあまあきれい、ですか」

「なになに、どうしたの」

「ええ、まあ」

「もしかして、社員になるの？　そうでしょ、うちの部署、今月二人辞めちゃうし。よかったねえー」

「いいんですかね、社員って」

「いいに決まってるじゃない。だって保険とかどうするの？　病気したら大変じゃん」

「え、何が？」

安藤さんは食べ終わったパスタの容器を片付ける手を止め、信じられない、といった面持ちでわたしを見た。唇にオレンジ色のソースがついている。

「保険ないと、病院行ったらばか高い治療費みんな自分で払わなきゃじゃない」

「それだけですか？」

わたしはコンビニでもらったお絞りで、軽く自分の口元をぬぐった。

「よくわかんないけど、たぶん、それだけじゃないでしょ」

「正社員って、お金貯まりますか？」

「まあ、うちの会社はそんなに景気よくないからあんまり期待しないほうがいいけど、寮に住めばなんとか」

わたしも晴れて、正式のＯＬ、というものになるのか。住民税も年金も保険料も毎月払う、ちゃんとした社会人、というものになるのか。

「オフィスレディ、ですか……」

隣の安藤さんはすぱすぱ煙草を吸いながら、

「やなの？」

と聞いた。


デパートの垂れ幕にバレンタインという文字が入るようになると、吟子さんがチョコレートを買いたいと言い出した。

「何、ホースケじいさんにあげるの」

「そう」

「おじいさんにチョコねえ。ふんふん。いいんじゃない」

「知寿ちゃん、付き合ってくれる？　おばあちゃんはどういうのがいいかわかんないから」

「あたしだってわかんないよ」

「若い人のセンスにまかせたほうが、間違いないからね」

「年寄りの気持ちは、年寄りがいちばんわかると思うよ」

次の日曜日、わたしたちは新宿のデパートに出かけた。

吟子さんは藤色のツーピースを着て、クリーム色のパンプスを履いている。白い髪の毛は、うなじでひとつにまとめてある。ちんまりとして、そこそこかわいいおばあさんだ。

電車が笹塚駅に停車すると、わたしは顔を伏せる。なんだかんだ言っても、まだ堂々とホームを見渡すことができない。藤田君や、イトちゃんと顔を合わせたくない。もうどれくらい会っていないのだろう。二人は、わたしの顔をまだ覚えているだろうか。

笹塚駅を発車して電車が地下に入ると、わたしはやっと顔を上げた。向かいの窓に、わたしと吟子さんが映っている。おしゃれした吟子さんは目をつむって寝ている。この歳でチョコレートだなんて立派だ。電車が大きく揺れると、はっとして首をもたげ、また目をつぶる。「眠いの」と声をかけても答えない。

わたしはこんなおばあさんになれるだろうか。七十歳になっても身ぎれいにして、自分だけの小さな家を持ち、バレンタインにはチョコレートを買いにいく、そんな暮らしができるだろうか。

デパートの最上階には『チョコレートセンター』という会場ができていて、女の人でいっぱいだった。エレベーターを降りてすぐ、吟子さんの足が止まった。

「つぶされそうねえ」

「行こうよ。せっかく来たんだから」

「知寿ちゃん、ちょっと見てきて。わたしこのへんで待ってるから」

「え、なんで」

「おばあちゃんにはつらいのよ」

吟子さんはエレベーターのすぐ脇にあるつかみどりチョコレートを見にいった。そこだけは、なぜか人が少ない。わたしは群衆をかき分けて中に進んだ。

一通り試食を済ませて急いで吟子さんのところに戻ろうとすると、彼女がエレベーター脇の椅子に座っているのが見えた。お年寄りはお年寄りで、ああやってどうにか自分の場所を確保するのか、と思うとなんだか気が抜けた。声をかけると、「ああご苦労様」とわたしの腕をぽんぽん叩く。その手には固さとか重さとかがちっとも感じられないのに、今まで何事も一人でこなしてきたということが不思議に思われた。

入り口に近い、見当をつけた店に吟子さんを連れていく。

「これどう。ウィーン王室御用達だってよ。すごそうだよ」

「いいわ。うん、これ、これがいい。これにしましょう。猫ちゃんだしね」

吟子さんはその店で即決した。指差した先には、薄いチョコレートを何枚も詰め合わせた水色の猫の箱がある。

売り子にお金を渡そうとしている吟子さんの袖をひっぱり、レジのコーナーまで連れていった。小さな包みを持った女たちの長い列ができている。番が来るまで、縦になってむっつり黙って並んでいた。

わたしはもう、家を出ていくことを決めていた。

目の前の吟子さんのつむじを見下ろしながら、そろそろ言わねば、なんと切り出そう、と考えていた。


「吟子さん」

とんとんとん、とにんじんを切っている。テーブルには、ホースケさんにあげるのとは別に買った、水色の箱がひとつ開けてある。わたしは頬杖をついてチョコレートをつまみながら、吟子さんの後ろ姿を眺めている。あのかっぽう着を一度着てみたい。写真を撮って、五十年後に見返してみたい。

「吟子さん」

「何？」

「わたし、出てくよ」

「いつ？」

「来週。社員寮に住むんだって」

「急ねえ。それに、ひとごとみたいねえ」

かっぽう着で手を拭きながら、振り向いて笑った。

「ごめんね」

「いやだ。謝ることじゃないでしょ」

「まあそうだけど」

「一人暮らしは、いいものよ」

土鍋の中ににんじんをていねいに並べながら、吟子さんは言った。

「若いうちに、家を出なきゃ」

わたしは黙って聞いている。

「若いときには、」

玄関のブザーが鳴る。今日もホースケさんが来るのだ。もう出迎えにいかなくても、彼は勝手に入ってくる。

「苦労を知るのよ」

その「苦労」というのがいつ、どんなふうにやってくるのか、わたしは吟子さんに聞きたかった。そしてそれをひとりでどんなふうに迎え入れればいいのか、教えてほしかった。

ホースケさんがぬっと台所に現れ、どうも、と頭を下げる。吟子さんはコートを脱がせて、軽く表面を払ってハンガーにかける。この少しの疎外感さえ、もう味わえない。

本当は、出ていかなくてもいいんじゃないかと思った。出ていきたくないような気もしていた。でも今、ひとりになってみたいという気持ちを無視したら、わたしはいつまでもここに居座って、何も知らないまま一生を終えてしまうかもしれない。

家を出る前の日、わたしの誕生日が近いこともあり、吟子さんはちらし寿司を作ってくれた。吟子さんが酢めしを混ぜているあいだ、斜め上からうちわであおいで手伝った。

「知寿ちゃんのずは寿司のすだからね」

「あたしの名前の由来、知ってる？」

「ううん」

「自分の知恵で、寿になれって意味らしいよ」

「いい名前ねえ」

「まだ何の知恵もないけど」

「そう？」

「うん、何も。たぶん。あ、でも、ここに来てから、鍋のふたは逆にしてしまうとその上にもうひとつ鍋をおける、っていうことは学んだ」

「それは、いいわね」

「あと、人間て変わる、ってことかな。それも、変わってほしくないところが。で、変わってほしいところは変わらないよね。それが逆になる知恵を知りたいんだけどね」

「それは無理だわ」

吟子さんはもういいよ、とうちわを手で止めて、錦糸玉子や桜でんぶなどの準備にかかった。

デザートには、わたしの好きな蒟蒻《こんにゃく》ゼリーを三袋分くらい菓子皿に盛ってくれた。最後の夕食かと思うと、少し悲しくなる。それを押しつぶすように、わたしは次から次へとゼリーを口に入れて、もぐもぐ嚙んでいった。

夕食後、散歩に誘うと吟子さんはついてきた。駅の反対側にあるスーパーまでの道を、二人で歩く。

「冬、きらいだな。寒くて。寒いと、余計人に優しくできない」

「知寿ちゃんは優しいよ」

「優しくないよ。根性へちゃむくれ」

「ホースケさんと高尾山に行く？　蕎麦を食べに。小名浜は延期になったのよ」

「延期になったの？　で、高尾山か……」

「知寿ちゃんがよければ」

「二人じゃないよね。吟子さんも行くよね」

「そりゃ、行くわよ」

「じゃあ、行こうかな。秋にも行ったけど。誘って」

「はいはい」

本当に誘ってくれるだろうか。わたしが家を出たあと、わたしたちはどうやって連絡を取り合うんだろう。社員寮は、東武東上線のみずほ台という駅にある。ここから電車を二回乗り継がないと行けない。出不精の吟子さんはきっと来ないだろう。

特にあてもなく、わたしたちは明るすぎるほどのスーパーの店内をゆっくり見て回った。ジーンズのポケットを探ると、くしゃくしゃになったミッフィーのぽち袋が入っていた。吟子さんは財布を持っていなかったので、わたしは自慢げにそれを取り出し、この千円で好きなものをできるだけ買おうと言った。わたしたちは一列ずつ並べられた商品をじっくり吟味した。かごに入れては戻し、入れては戻しを繰り返す。

果物売り場のバナナの前で、吟子さんは何か考え込んでいる。

この人、どんな思考回路で、何を考えているんだろう。わたしたちはお互いのことをまだほんの少ししか知らない。わたしは彼女の腹黒いところとか卑しいところを最後まで見なかったし、彼女のほうでもわたしがもっと意地悪くなれることを知らないだろう。そういう付き合い方でよかったのか、わたしにはわからない。もっと行き着くべき関係があったのではないかと思った。誰かが可か不可か教えてくれなければ、いつまでも不安なのだ。

そんなことを考えていたら、全てを洗いざらい打ち明けてもいいような気がしてきた。自分の意地悪さや、むなしさや、不安や、この一年であなたの宝物かもしれないものをいくつかいただきました、ということ、全て。彼女がそれをどんなふうに思うのか、聞いてみたかった。

吟子さんが小さく言った。

「イチゴが食べたい」

「え?」

「うん、バナナじゃなくて、イチゴがいいわ」

吟子さんは入り口近くのイチゴ売り場にすたすた歩いていってしまう。わたしは追いかけていって、彼女がいちばん手前にあったパックをかごに放り込むのを見た。

帰ってきて、縁側でイチゴと豆乳とピーナツクリーム入りのパンと、缶詰のようかんを食べた。

寒いので、二人とも頭から毛布をかぶっている。ほとんど人を乗せていない電車がいつも通りすごい音を立てて走り去っていく。冷たい風が吹きつけるたびに、中に入ろう、と言いながら、二人ともなんとなくそこに留まっている。お世話になりましたと言うつもりだったのに、別のことを聞いていた。

「チェロキーちゃんたちの写真、壁を一周したらどうするの？　二段にするの？　あと十枚くらいしか入らなさそうだけど」

「その前にわたしが死んでるよ」

そうか、それくらいの命なのか、とわたしは納得する。もっと長生きできるよ、なんて、歳が歳だけに軽々しく言えない。

「死んだら、この家どうする？」

「欲しいなら知寿ちゃんにあげる」

「え、親戚とかはいいの？　きょうだいとかさ」

「いるけどここはあげない、みんな遠くにいるからね」

「じゃあもらう。この庭、秘密の花園みたくする」

「あの猫ちゃんたちの写真、捨てないでね。お棺に入れたりしなくていいからね」

わたしは、猫たちの写真の隣に吟子さんの遺影が飾られるのを想像した。

いつか吟子さんも名前を失って、死んでしまったもののひとつとしてその個性を失っていくのだろうか。誰も彼女について語らなくなり、何を食べていたとか何を着ていたとか、そんな些細な日常などもともとなかったかのように、あっさり消えてしまうのだろうか。

さっきから、右頬に吟子さんの視線を感じる。気付かないふりをして、わたしはイチゴのヘタを庭に投げていった。吟子さんは「おお寒い」と呟いてぎゅっと毛布を巻き直した。

食べるものも話すこともなくなって、さあ風呂わかそ、とわたしは立ち上がった。一瞬視界に入った吟子さんの目は、寒さからか少し潤んでいるようだった。

いつだって、前もって予定していた別れは、予期せぬ別れよりやりづらい。

「泣かないでよ」

言い捨てて、風呂場に走った。

その晩、わたしはダンボールだらけの部屋で、あの靴箱を開けた。

靴箱の中の小物たちは最近、わたしを慰めてくれない。心を思い出に引き戻すだけだ。苦かったり甘かったりする記憶を、自分ひとりで楽しむ手伝いをするだけだった。それでもわたしは箱を捨てることができない。長いあいだ、頼りすぎた。靴箱を持ち上げて揺らしてみると、中のがらくたたちがかしゃかしゃと乾いた音をたてる。

ロシア人形と、緑の別珍の箱と、首の取れたピエロ人形をつかんで吟子さんの部屋に行った。寝込みに忍び込むのは、これで三回目だ。ふすまが音をたててしまうポイントも、きしみが激しい畳の位置も、なんとなく知っている。息を殺して、手に持っているものをひとつずつもとあった場所に戻していった。

何かひとつくらい、ちょっとしたものを記念にいただいていくつもりだったのに、迷っているうちに何も欲しくないような気がしてきた。

吟子さんの枕元に座ってみる。この小さいおばあさんが、もう悲しんだりむなしくなることがなければいいけど、無理なんだろう。使い果たしたと思っていても、悲しみやむなしさなんかは、いくらでも出てくるんだろう。

「戻って寝なさい」

「起きてたの」

驚いて、わっと声をあげた。

「ああ」

「いつから」

「最初から」

「……」

「ずっと前、あの人形を取りにここに来たときも起きてたよ。年寄りは眠りが浅いから」

彼女は目をつむったまま言う。

「やっぱりね。起きてると思ってた。全部戻したよ」

「年寄りをばかにしてるねえ」

「うん、してた」

「ばかだね」

「うん……」

「とらなくたって、あげるのに」

でもほしくないんだもん、とわたしが言うと、吟子さんは目を開けて短く笑った。

「吟子さん」

「なあに」

「あたし、こんなんでいいと思う？」

吟子さんは答えなかった。静かな視線が、わたしの顔や、肩や、胸や足の上に筆を当てるように、順に動いていった。そのたびに、淡い色をのせられていくような感じがした。

わたしはもう一度同じ質問をした。

「さあ。わからないわね」

吟子さんは静かに微笑むと、寝返りを打ってあっちを向いてしまった。

「吟子さん。外の世界って、厳しいんだろうね。あたしなんか、すぐ落ちこぼれちゃうんだろうね」

「世界に外も中もないのよ。この世はひとつしかないでしょ」

吟子さんは、きっぱりと言った。そんなふうにものを言う吟子さんを、わたしは初めて知った。その言葉を何回も頭の中で繰り返していたら、自分が本当に何も知らず、無力であるように感じられてきた。

「ねえ。いなくなったら、あたしの写真も飾る？」

「知寿ちゃんは猫じゃないよ」

「飾ってよ」

「まだ死んでないからだめよ」

「でも、飾らないと忘れちゃうんでしょう」

「思い出はあそこにはないの」

吟子さんは顔の半分まで布団をかぶりなおした。

寝ているのか、まだ起きているのか、確認しないうちにわたしは自分の部屋に戻った。椅子に座って、靴箱の中身をしばらく眺めた。もういい、と思ったところで、椅子を壁に押し付けて、その上に立つ。靴箱を右手に持ち、中に入っているものを順番にチェロキーたちの額縁の裏に置いていった。体育帽も、花飾り付きのゴムも、赤ペンも、髪の毛も、煙草も、仁丹も、ぜんぶ。

空になった靴箱は、つぶして重ねて、紐でぐるぐる巻きにして、台所の古新聞の上に捨ててきた。流しに寄りかかって暗い台所から続く居間を見渡してみても、ここに来たときと同じように、ここを去る、という実感がわかなかった。

床下から梅酒の瓶を取り出して、三杯飲んでから寝た。意識がなくなる直前、窓が小刻みに鳴って、電車がホームに入ってくる音が聞こえた。

春の手前

玄関を出るとき、いつも何かを忘れているような気になる。行ってきますも、ただいまも言わない。吟子さんと住んでいたときだって言わなかったのだから、当然だ。

本当に一人で暮らし始めたら、そういう言葉を意識するようになった。

朝起きると、まずやかんの湯冷ましを飲む。顔を洗って、食パンを焼く。服を着て化粧をして、出社して働く。毎日同じことの繰り返しだ。台所で洗い物をしていると、ときどきスリッパの上の四匹のミッフィーと目が合う。余ったおかずには、ラップではなく皿でふたをしがちで、煮干しのだしは、何回やってもおいしくできない。

夜にだんだんとさみしさがつのっていって、どうにも始末ができなくなると、吟子さんに手紙を書こうとする。が、いつも『拝啓、荻野吟子様』と書いただけで、手が止まる。言葉が何も浮かんでこない。とりあえず便箋の隅にクロジマとチャイロの絵を描いたりしていると、なんとなく気がまぎれるのだった。

隣の部屋には、同い歳の女の子が住んでいる。その子とは、水曜日の仕事帰りによく映画を観にいく。別の部署で働いているが、朝の掃除の時間にぞうきんを貸し借りして、仲良くなった。お昼は安藤さんと食事をするし、仕事が終わったあとは、同じ部署の人と飲みにいったりもする。デスクの周りの人は、わたしを「ミタちゃん」と呼ぶ。

コピーの順番待ちをしていたら、先に並んでいた営業部の佐々木さんに声をかけられた。

「おうミタちゃん。眼鏡やめたんだ」

「はい。やめました」

「似合ってたのに」

「もうすぐ春ですから」

「おおー色気づいたな」

「そうなんです」

そうやって、知っている人を入れ替えていく。知らない人の中に自分を突っ込んでみる。楽観的でも悲観的でもなかった。ただ、目が覚めるとやってきているその日その日を、なんとかこなすだけだった。

二月も半ばになると、厳しい寒さが少しだけゆるむ日がある。そんな日は、朝から気分がいい。シャワーを浴びて、二の腕の毛をそり、いい匂いのクリームをつけて出勤する。

なんとなくではあるが好きな人もできた。

引っ越してすぐ、安藤さんに誘われて行った隣の部署の飲み会で知り合ったのだが、その人は既婚者だった。今までにないパターンだ。この恋がうまくいけば不倫、ということになるだろう。連絡先を交換し、酔った勢いで駅まで手をつないで帰った。次の日曜には、食事と競馬に誘われている。向こうもわたしに気があるのかもしれないが、どんなにあわてても、心配しても、期待しても、なるようになるだろう。

藤田君のときのように、その人を見つめていたいとか、一緒にいたいとはまだ思えない。そういう熱烈な恋の仕方は、もうできないように感じている。が、努力すればかなり近いところまでいける気はした。

仕事の合間に顔を上げると、彼は遠くからわたしを眺めている。仕事しろよ、と思うけど、気分は悪くない。

見込みがなくても、終わりが見えていても、なんだって始めるのは自由だ。もうすぐ春なのだから、少しくらい無責任になっても、許してあげよう。

日曜、東京に向かう東上線は混んでいた。

約束どおり、わたしはあの既婚者と競馬に行く。髪をおろして、きれいに化粧をして、まだ冬物のコートを着てはいるが、体がいつになく軽い。一両目の車両に乗り込み、運転席のすぐ後ろのガラス窓に顔をくっつけて、外の風景を眺めた。

線路はどこまでもまっすぐに続いているように思われた。通り過ぎていく沿線の団地では、示し合わせたように、どのベランダにも布団が干してある。手前の公園の端には、白い梅の花が咲いているのが見えた。

電車が柳瀬川の橋に差し掛かった。岸辺には、まだ茶色い枝を伸ばしただけの桜並木が細々と続いている。あと一ヶ月もすれば、花は満開になって、わたしはそれを満員電車の中から眺めるのだろう。腕時計をして、きちんとパンプスを履いて、黒いかばんを持って。茶色い犬を連れた男の子が、灰色のコンクリートに線を引くように走っていくのが見える。

約束は、府中駅の改札に十一時だった。

池袋で埼京線に乗り換え、新宿で京王線に乗り換える。各駅停車の、いちばん前の車両に乗る。

地上に出ると、電車はゆっくり笹塚駅のホームに入っていった。よく知っているホームの風景が、窓の外を流れていく。これから試合に行くのか、日に焼けてラケットケースを背負った女の子たちが、あの売店の周りを取り囲んでいるのが見えた。立っている駅員たちは皆知らない顔で、藤田君も、イトちゃんも、一條さんも、見当たらない。電車の扉が開くと、わたしは外に出てホームを見渡した。中央にある売店は遠くて、どんな人が働いているのかわからなかった。

再び動き出した電車は、見覚えのある景色の中を走っていく。空席だらけの車両の中、扉に張り付くように立っているわたしを、すぐ横の座席に座った小さな女の子が不思議そうに眺めている。

吟子さんの家がある駅の名がアナウンスで告げられると、わたしはいっそう強く扉のガラスに額を押し付けた。電車が速度を落とすにつれ、背の高いキンモクセイが向かいのホーム越しに見えてくる。

その家は、今も変わらずそこにあった。

手前に見える垣根は、相変わらず長さがそろわず、枝がところどころ飛び出している。物干し竿には、かっぽう着やバスタオルが干してある。その向こうでは、ここからは半分しか見えない窓が太陽を反射してまぶしく光っていた。わたしはその中に吟子さんの姿を探した。

電車の中から見えるその景色は、書割りの写真のようにぴたりと静止している。そここにある生活の匂いや手触りを、わたしはもう親しく感じられなかった。自分が吟子さんの家に住んでいたのがどれくらい前なのか、ふとわからなくなる。ホームに出ておーいと叫んだとしても、その声があっちの庭に届くまでには何年もかかるような気がした。

発車の合図のベルが鳴って、背後で扉が閉まる。

電車が動き出してからも、額をガラスに押し当てたまま、その家が遠ざかっていくのを眺めた。屋根の上で銀色に光るアンテナまで見えなくなると、わたしは扉にもたれて、少しのあいだ目を閉じた。

車両が大きく揺れて、女の子が叫んで、笑う。

目をやると、靴を脱いだ彼女は座席の上に立って窓を開けようとしていた。それを、母親らしい女の人が面倒そうに叱りながら手伝っている。やっと開いた窓から風が吹くと、女の子のポニーテールが揺れた。青いスカートの裾もめくれた。

電車は少しもスピードをゆるめずに、誰かが待つ駅へとわたしを運んでいく。

出発

スバルビルの階段から地上に出ると、思いのほか寒くなかった。襟がかたいコートのポケットに入れた手はそのまま、少しだけ体の緊張をゆるめる。見上げると、小田急百貨店の隣のビルにはりつけてあるシチズンの大時計は十四時五分、ダイキンエアコンのデジタル温度計は十四度。

春みたいだ。ビルにさす光が、やわらかい。でももう、本当の春をここで感じることはたぶんない。

会社を辞めようと思いついて、一週間は経っただろうか。

あの日、スバルビルの大戸屋で昼食を食べて階段から地上に出ると、コカ・コーラの自販機の脇に携帯電話で写真を撮っている女の子たちがいた。高校生くらいか、何やらはしゃぎながら駅の方向に電話をかざしている。ボタンを押しては、じっと画面を見つめて、もう一度かざす。僕はその先にある景色を見た。駅、ロータリー、タクシー、自転車、通行人。なんとも思わなかった。ただ、壁紙をばりっとはがすように、そういう景色をすっかり変えてしまいたくなった。それは簡単なことに思えた。辞めます、と言って諸々の手続き、挨拶をすれば、終わることだった。

　辞めてからどこで何をするというあてはない。でも、もうこんな都心では働かないと思う。秋田にUターン就職したっていい。地元の友達みたいに奥さんも子どもも、彼女だっていないのだから、どこで働こうと自由なのだ。それなのに、何かにつけて僕は腰が重い。決意はしたものの、上司には言えそうなときに言おうと思っている。環境を変えれば、そういう自分ももといたところに置いていけるんじゃないかと、ちょっと期待してはいるのだが。

　交差点で信号が青に変わるのを待った。左手に視線を移すと、駅ロータリーの端にある巨大な筒状の物体が見える。灰色にすすけ、空中に斜めに口を開け、表面は細かい蔦で気味悪く覆われている。入社した五年前からはっきり言葉にしたことはなかったけれど、あれはいったいなんなのだろう。

　駅からのびる大通りに立ち並ぶイチョウの木々は、頭からペンキをかぶったように見事に黄色く染まっていた。風にのって、葉がはらはら散っている。今、秋が終わっている。

「あ、ねえねえ、おにいさん」

　急に声をかけられて振り向くと、女が立っていた。派手なピンク色のダウンジャケットに、黒い線でくっきり囲い込まれた大きな目。ちょっと飛び出ていて、怖い。毛先が日に透けて見えるほど乾いた金色の髪は、肩の上でまっすぐ切りそろえてある。耳には三つ、輪になったピアスをつけている。

「なんですか」

つとめてなんでもないふうに答えた。昼休みにこうやって声をかけられるのは、初めてのことではない。道案内も、保険の勧誘も、居酒屋のチケットも、この五年間でだいたいたい対応の仕方は心得ていた。

「いきなり会って悪いんだけど」

女はなれなれしく近寄って、首をかしげる。輪になったいちばん下のピアスが日にちかっと光る。

「お金貸してくんない」

「いやです」

即答すると、女は「わお」と叫んで、その場にのけぞった。信号を待っている人たちが笑った。

「すみません」

言いながら、笑ってしまった。あまりに女の反応がすっとんきょうで。

「二百円だけ。お願い。のど渇いちゃって」

彼女が指さした先にはコカ・コーラの自販機が五台並んでいる。信号が青に変わった。

「戻らなきゃなんで、すみません」

「えーなんでなんで、二百円、ちゃんと返すから」

女は歩き出した僕の前に立ちふさがって、顔の前で両手を合わせた。さっき笑っていた人たちが、今度は気の毒そうな顔をして通り越していく。ジッパーが半分開いた女のダウンジャケットの下に、日に焼けた肌が少しだけ見えた。

「あの、知らない人にお金は貸せないです」

「あたしね、さっきからいろんな人にこうやって頼んでるんだけど、誰ひとり、話も聞いてくんないの。おにいさんて、このへん通った人たちのなかでは格段にいい顔してるっていうか、さっきなんか仏様みたいにおだやかな顔してたから、助けてくれるかなと思ってさ。ああ、いいお天気」

見ず知らずの人にこういうことを頼むことに慣れているのか、それとも新手のいかがわしいセールスなのか。判断がつきかねたけれど、女の言い方にはどこかさっぱりしたところがあって、へんに勘ぐるほうが逆にあさましいような気になる。とはいっても、習慣的に無視した。女は何か言いながら横に並んでついてきて、一緒に信号を渡りきってしまう。会社の知り合いが通らないかとちょっとあたりを見渡すけれど、名前を呼んで駆け寄れそうな人は誰もいない。

「ね、まじでお願い。あたし、今、この瞬間に炭酸飲みたいんだなあ、本気で。財布忘れてきちゃって、持ってきてくれる子とそこで待ち合わせてんだけど、あと三十分はかかるって言うんだもん。来たら返すから、ね、お願い」

「無理です」

「お願い。二百円貸して」

女はもう一度僕の前に回って、頭を下げた。もう会社のビルの前まで来ていた。さっきから、大戸屋のレジでお釣りをつっこんだ右ポケットの中で、冷たいコインに触れている。

どうして僕なのか。仏様がどうだとか、口からでまかせなのはわかっていた。きっと意志の弱そうな、押しに弱そうな顔だと見てとられたんだろう。でも、どうせまもなくこの都会を去るのだから、最後に何か善行をしてもいいと思った。

ポケットの硬貨を取り出して、そこから百円硬貨を二枚女に手渡す。女は、縦にも横にも線の少ない、つるつるした小さい手のひらをしていた。もともと大きい目を見開いて、「ありがとう」と彼女は言った。後ろから頭を叩いたら、眼球が落ちてきそうだ。

ビルの自動ドアが閉まる寸前、

「ぜったい返すから」

と後ろで声が聞こえた。何かが帳消しになった気がした。

オフィスに戻ると、年賀状の印刷が五十三枚でストップしていて、画面には「マゼンタのインクを補充してください」のメッセージが出ている。インクパックの入った菓子箱を開けて、パッケージをやぶり、手早く入れ替えてやる。プリンターの取り出し口には、白い雲が浮かぶ空の背景に、赤い帽子をかぶった子牛が横向きに立つ年賀状が同じ向きに重なっていた。「陣内君が作ったの？」と通りかかる人がほめてくれる。

十人いる同期は、予算達成に向けてフロアの中央で電話をとりまくっているのに、こんなに悠長に牛の絵などデザインしているのは、僕くらいだ。数字を課せられるとたんにやる気をなくしてしまうのは、心が弱いからだろうか、もともとそういう仕様になっていたからだろうか。三年前、配属部署を決める考課面談で、男なんだからこのまま営業だろう、と言う上司もいたけれど、僕は断固拒否した。事務が好きな男がいたっていいではないか。月に一度の全社会議で表彰されるより、僕はそこで渡されるのし袋に金参萬円、と事前に筆ペンで書く役目のほうがいい。なんだったら、そのうちアームカバーだって買ってもいい。

窓から通りを見下ろす。この時間になると、光るイチョウが見られる。光るイチョウは一本しかない。コクーンタワーに隣接する球体ビルの前にある、ちょっと背の高い一本。どういうわけだか知らないが、その木だけが西日に当たるとはっとするほど見事に光を照り返して金色に光って見える。僕は、斜め前に座って仕事をしている葉山さんを手招きして、こっそりそれを教えたときのことを思い出した。「陣内君、ロマンチストだね」と、言われた。

今も斜め前に座っている葉山さんの顔は見ず、そのときの彼女の笑顔を頭に浮かべながら、窓の外のイチョウを眺める。プリンターに目を戻す途中で、課長と一瞬だけ目が合った。今日言ってみようか、と思う。でも、まだそのタイミングじゃないかも、と思い直す。先の展望は何一つない、こんなはっきりしない状態で退職宣言をしたって、気の迷いだと一喝されるだけだろう。

夕方、六百十九枚まで印刷が終わったところで、プリンター内部の廃インク吸収体がいっぱいになってしまった。「サービスセンターに交換を依頼してください」とメッセージが出ている。僕はコートを着て、プリンターをビニールで包み、抱きかかえた。葉山さんは席にいなかった。廊下に続くドアを開けようとしたところで、彼女がちょうど入ってきて、ドアを押さえていてくれる。

「大丈夫？」

「はい、大丈夫です」

「バイトの子に、持っていかせようか」

「いえ、大丈夫です。いつも持っていってますから」

僕は余裕ありげににこっと笑う。僕より一つ年上の葉山さんは、後輩には誰にでも優しい。

「せめてエレベーターのボタン、押すね」

言葉に甘えて、押してもらう。エレベーターの扉が閉まるとき、手を振ってくれた。僕が辞めると言ったら葉山さんはなんとコメントするだろう。辞めると決めてから、僕は何百回となくこのことを考えていた。

地下の動く歩道に乗って都庁のほうに運ばれていく。この歩道にはめったに乗らないけれど、実際乗ってみると新鮮だ。僕が一歩も動かなくても、ゆっくりした一定のスピードで勝手に景色が流れていく。銀のポール状の柵でしきられた、向こうの動かない歩道の上では、人々がそれぞれのペースで歩いている。たいてい、この動く歩道の速度より速い。そもそも、この歩道に乗っている人だって、僕以外みんな歩いている。重いプリンターを手すりに載せてポールの向こうを眺めていると、めずらしい動物をゆっくり観賞しているような気分になった。

やっと地下道を出たところで、信号待ちをする。ここにもイチョウ並木がある。そういえばさっきの女はちゃんと飲み物を買えただろうか。思い出して、少し笑う。葉山さんと同い年くらいだろうか。いや、でも、あまりにも人間の型が違って、とても比べられない。はたまた、僕より年下だろうか。厚い化粧の下で肌がどうなっているのかは、わからない。

赤信号が長いと思って目を上げると、対岸の信号の真下に当の女が立っていた。僕にはすでに気づいていたようで、しきりに手を振っている。すぐ横にいる人が、誰のことかときょろきょろ見回している。

信号が青になると、女はにやにやしながら近づいてきた。

「何してんの。それ何」

彼女は、数時間前に会ったときと変わらない格好で、退屈そうにぶらぶら腕を揺らしている。よく見ると、西に低く傾いた日差しの下で、にきびの跡が顔の表面に細かい影を作っていた。

「プリンターです」

歩きながら、僕は答える。女はこりずに、また横に並んで歩き始める。

「仕事?」

「そうです」

「言い方、なんか冷たいよね」

はあ、と言って僕はプリンターを持つ手の位置を少し変える。重くて、手のひらがじんじんする。

「手伝うよ」

「え？　いいです」

「重そう」

「ジュース飲んだんですか？」

横目で見ると、女はぱちっと短い指を鳴らして、「うん」と言った。

「え、飲んだんですか？」

「飲んだ、あれからすぐ。赤いほうのコーラね。おいしかったー。ありがとうございました。それ、手伝うよ」

「いえ、いいです」

女はまだついてくる。サービスセンターに入って順番待ちをしているときも、脇に座ってデジタルカメラのパンフレットを見ていた。預かり伝票を書き終えて会社に戻ろうとすると、今度はカメラの展示スペースにいる制服姿の女の人に声をかけている。黒いワンピースの胸元に赤い花飾りをつけて、白い手袋をしているその女の人は、何を言われているのか、困ったように笑っている。ここにいるあの格好の人は、みんなきれいな人だ。小さいころに連れていかれたモーターショーにも、ああいう女の人がわんさかいた気がする。

　黙って出ていったら、女はあわてて追いかけてきた。

「ちょっと待ってよ」

「あの、僕、仕事中ですので」

「サラリーマンだもんね」

「いや、サラリーマンていう感じでも……あの、財布持ってくる人、来たんですか」

「いや、まだ来ない。こっちの方向から来るって話なんだけどさ、道迷ってるみたいで。都庁のほうまで迎えにいこうと思ってふらふらしてたの」

「早く来るといいですね」

「いや、ほんとそう。祈ってよ」

「じゃ、これで」

「あ、ねえ、あたしさ、夜はあっちの通りで飲み屋の看板持ってるから、帰り通ってみて。あっちって、甲州街道のほうね。別にあやしい店じゃないから。ふつうの居酒屋。で、そんときお金返す。あたし、借りたものはぜったい返す主義だから、二百円ちゃんと返すから、来てね」

　大声が地下道に響いて恥ずかしい。僕は「いいです」と言い捨てて小走りになった。等間隔に蛍光灯がついているのに、うすぐらい歩道だ。

女はついてこなかった。あの顔がこの明るさではどんな顔に見えるのかちょっと興味がわいたけれど、振り向かないで会社に戻った。

年末が近づいているから、最近は事務方でも残業が多い。九時過ぎまで仕事をして、葉山さんより先に帰った。葉山さんは、最近隣の派遣社員の教育に忙しい。日中できない自分の仕事を、派遣さんが帰った夜、集中してやるそうだ。手伝いますと申し出ても、気にしないで、と笑顔で返されてしまった。

エレベーターの前で、後輩の京子ちゃんと一緒になる。入社二年目の京子ちゃんは、僕の同期の中でも「かわいくて仕事もできる」と評判だ。全社会議では、よく表彰されている。僕は過去二回、のし袋に彼女の名前を書いたことがある。

お腹がすいたから軽く何か食べようということになった。前に何回か飲み会で隣に座ったから、なんとなく仲はいい。どういう飲み会でも、彼女はしめっぽく愚痴をこぼすような飲み方はしなくて、感じがいい子だと思っていた。ただ、めっぽう酒が強くて、ビール一杯も飲み干せない僕は、好感は抱きつつもひそかに引け目を感じていた。

京子ちゃんがあったかいそばが食べたい、と言うので会社から一番近い富士そばに行く。彼女はわかめそばを、僕は天ぷらそばの大盛りを頼んだ。大音量の演歌が流れる中、社内の噂話でそこそこ盛り上がりながら、すぐに食べ終わってしまった。店を出て郵便局通りのスターバックスに入るけれど、席が空いていない。しかたなしに、外のテラスで寒いのをがまんして京子ちゃんがすすめたココアのような飲み物を飲む。

「あの青いのって、なんか変ですよね。うん、なんか不自然」

京子ちゃんが、ふたをとった泡だらけの飲み物をひと口飲んで言った。視線の先には、ロータリーに続く街路樹にまきついた青い豆電球がある。ぽちぽち黄色や赤が混ざっている。ここからでもかすかに、ヨドバシカメラの多言語呼びこみアナウンスが聞こえる。今流れているのは、きっとスペイン語だ。

「青いの？　きれいだと思うけど」

「電飾はやっぱり、白とか黄色じゃないと」

「よくあるような？」

「そうです、よくあるやつ。ふつうが一番です」

「そうかもね……」

「あたし、会社辞めようと思って」

「えっ？」

一瞬、自分の声かと思ってびっくりした。会話をしつつ、頭ではちょうどそのことを考えていたから。京子ちゃんは、飲み物をひとすすりして、青い電飾を見ている。

「辞めるの？」

「はい。もう部長にまで話してます」

「え、いつ、え、なんで？」

「来月いっぱいで。もうここの段階はクリアしたと思って」

「段階って」

うーん、と長くうなってから、京子ちゃんは口を開いた。

「なんていうか、もうここの会社でやるべきことはクリアしちゃった気がするんです。仕事に対して、というより、あくまでもここの会社の中で、って意味ですけど。社会人の生活とか、会社の中の人間関係とか、だいたいわかったなと思って。学校だって、小中高大ってあるじゃないですか。言うならば、その、会社生活における小学校の部は、あたし終わってるんじゃないか、って、こないだふっと思いついたら、そうとしか思えなくなっちゃって、別にこれといったきっかけはないです」

「そうなんだ……すごい、すごいね」

すごくはないです、と京子ちゃんは笑う。笑うと、頬がぽこっとふくらんで、お団子を二つほおばっているみたいだ。

「あたし思うんですけど、一つの会社の中で、会社生活の小中高大、ぜんぶやる人もいると思うんです。うちの父親もそうだし、陣内さんもそうかもしれないけど。でも、あたしの場合、小学校はこの会社で、中学に進むとなると、場所はここじゃない気がするんです。まあ、気がするだけなんですけどね。でももう、次の会社も決まりました」

「もう決まってるの？　京子ちゃん、ほんとすごいね」

「陣内さんはどうなんですか？」

「あ、実は僕も……うん、来月で辞めようと思ってる」

「ええ、なんでですか」

「なんか、思いついちゃって」

「突然ですか」

「いや、あの、もう二十八になるし、そろそろ場所変えてもいいんじゃないかなって、その、京子ちゃんの言う小中高大とか、そういうのとはまた微妙に違うんだけど、このへんでばりっと何か変えてみたいというか……いや、でももう二十八だしなあ」

「二十八だとなんなんですか？」

「二十八だと、まあ」

「結婚するとか」

「いや、それはなくて」

「何か他にやりたい仕事があるんですか？」

「いや、そういうわけでもなくて……」

京子ちゃんの顔には、いったい何がしたいんですか、というような、いらだちと同情のいりまじったような表情があった。

視線をはずして、目の前を行く通行人たちを眺める。後輩と話していたってこうなんだから、どうしようもない。理性的とは言いがたい話ではあったけど、それでもちゃんと自分の意見を持っている京子ちゃんの話のあとでは、僕の意思表明はひどく情けなく、いや、意思表明にもなっていないと思った。

紙コップにあとふた口分くらいが残っているところで、葉山さんが前を通りかかった。あっと思ったけれど、目は合わなかった。僕たちには気づかないようで、通行人にまじってさっさと通り過ぎてしまう。京子ちゃんも気づいてなかった。

「帰ろう」

まだ青い電飾を不愉快そうに眺めている京子ちゃんに言うと、「いきなりですね」とあきれられた。僕はぬるくなったココアを飲みほし、紙コップを軽くつぶしてごみ箱に入れる。

「僕、ちょっとこっちに用あるから。先帰ってて」

「ええ、なんですかそれ」

「また明日ね。おつかれ。今度またゆっくり話そう」

ごちそうさまでした、と言う京子ちゃんの声を背中で聞きながら、葉山さんが歩いていった方角に足を速める。僕、辞めようと思ってるんです。言おうと思った。葉山さんに言ったら、それはもう、引き返せない事実になるような気がした。せわしない人通り、居酒屋の呼び込み、パチンコ屋からもれる音楽、ヨドバシカメラの多言語アナウンスの喧騒の中なら、どんなことだって言える気がした。

新宿南口のほうに向かう葉山さんの後ろ姿は、それほど遠くなかった。黒いコートを着て、チェックのマフラーの片端が背中に垂れている。ショートカットの髪の後ろに、光るヘアピンを一本さしている。

ある程度の距離は保ちつつ、後ろ姿をじいっと見つめて歩いた。

葉山さんは居酒屋街をわき目もふらずまっすぐ突っ切っていく。甲州街道まで出て、南口へ続く大交差点を渡るつもりらしい。タクシーが長い行列を作って、坂の上のほうまで連なっている。

大交差点の信号待ちで、葉山さんはコートのポケットを急いで探るようなしぐさをした後、バッグの中から携帯電話を取り出し、耳にあてた。待ち合わせだろうか。僕は彼女に近づいた。あと一歩前に出れば、手を伸ばして肩を叩けるくらい近くに。葉山さんの声が聞こえる。

「うん。うん。え、でもここからだとけっこうかかる。十分くらい。うん。ああ、たぶん大丈夫。わかる。横に宝くじ売り場あるところでしょ。じゃ、そこで待ってて。はい。じゃあね」

電話を切る。切った後の画面を見ている。僕は出した手をひっこめて、もう一度出す。考え直して、葉山さんの視界に斜めから入る。

「葉山さん、おつかれさまです」

彼女は、わっ、びっくりした、と驚いて、笑顔になった。

「おつかれさま。あれ、陣内君、先に帰ったのに」

「京子ちゃんとご飯食べてて」

「そうなんだ。京子ちゃんは？」

「なんか、用あるみたいで先に帰りました」

信号が青に変わって人々が動き始める。葉山さんも、歩き始める。

「陣内君、置いてかれちゃったんでしょ」

そう言って、にっこりした。右の前歯から数えて三つ目が、少しだけ欠けているように見える。

「今日は、わりとあったかいよね。暑いくらい」

彼女はマフラーをはずそうとするけれど、コートの襟のところにひっかかっていて、すぐにははずせない。僕は手伝いたいのをがまんする。やっととれたマフラーを、彼女はむりやりコートのポケットにつっこむ。それで、「ああ、首が涼しくなった」と笑う。

南口の前まで一緒に歩いて、「じゃあ、僕はこっちなんで」と言った。

「おつかれさま。また明日」と葉山さんも手を振ってくれた。頭を下げて、小田急線の改札口に向かう。言葉が違っていた。僕、辞めようと思ってるんです。そう言うはずだったのに、僕はこっちなんで、なんて、つまらない言葉を言ってしまった。

改札に向かう人ごみをかきわける気力もなくて、結局元来た外の道に流されていた。甲州街道沿いの空の高いところに、パークタワーの、段々にずれて並ぶ三角が見えた。僕は歩き始める。最初はゆっくり、交差点を過ぎたあたりから、前かがみになって早足で。さっき口にした一言一言を、靴の裏から地面に叩きつけるようにして。

通りには、首から看板をさげた若い男と女が居酒屋のちらしを持ってうろついていた。通り過ぎる人を、鍋やカラオケに誘っている。

飲み屋街の端の角で、見たことのある顔が大きな看板をお腹と背中にくっつけて、プラカードまで持って歩いていた。昼間に二百円貸した、あの女だった。ピンクのダウンジャケットはそのままだけど、今は青いバンダナで金髪を覆っている。その分、余計に大きな目が強調されている。

「あっ、来てくれたんだ」

　僕は聞こえないふりをする。こんなところは通るんじゃなかった。せめて、道路の反対側を歩いているべきだった。

「仕事帰りにありがとう。あたし、夜はこういう仕事。そこなの」

　女は少し離れたところにある居酒屋を指さした。去年の忘年会は、たしかそこでやったような気がする。最後にみんなの皿に少しずつ残った混ぜご飯を、僕がまとめて食べた。

「あーちょうどよかった。そろそろ休憩入ろうかなと思ってるところだったんだよね。ねえねえ、ちょっと歩かない。二百円返すから。この仕事さ、ひと組客連れてくると、即時払いで百円もらえるんだよね。ていうか、もうお財布持ってるからいつでも返せるけどさ。お財布持ってきてくれた子、結局あれから二時間も待たせたんだよ」

　歩道の信号がちょうど赤になってしまう。今日ほど、この赤い背景に立つ男をよく見た日はない。こうしている間に、逆方向では葉山さんがどこかに向かっていて、その彼女を待つ誰かがいるのだと思うと、心臓が冷たくすっぱい液につかっていくようだった。

「ちょっと、怒ってる、もしかして。お茶でも飲もうよ。せっかく会えたんだし、あたし、お金貸してくれたとき、じゃなくって、お金貸して、って声かけたときからなんか友達になれそうな気がしてて。あたし、おにいさんの顔、けっこう好きなんだよ。

ほんと仏様みたいにおだやかで……」

「おだやかじゃありません」

自分でも驚くほどの声が出た。信号待ちをしていた人たちが振り返って何事かという顔で僕を見つめた。はっとして、うつむいた。

「あ、ごめんね。ちょっと待ってて、お財布取ってくるから」

信号が青に変わる。僕は葉山さんとは正反対のほうに向かって歩く。どんどん、離れていく。ピンク色が視界に入る。看板をはずした女が駆け寄ってきたらしい。

「あの、本気で、今日お金借りたお礼するから。二百円、今返せるし、ご希望あれば、喫茶店でコーヒーくらいおごるし」

「いいです」

「怒んないでよ」

「怒ってません」

「悲しいなあ、せっかく誘ってるのに。東京の人って、ほんと警戒心強いね。そんなに人が怖いかなあ、あたしだったら、」

ほうっておいたら、いつまでもしゃべり続けそうだった。息継ぎをするタイミングで、僕は短く、無愛想に言った。

「あそこなら」

僕はパークタワーの一番背の高い三角を指さした。彼女が僕の希望を了解したとは思えないけど、とりあえず「わかった」と言っていったんおとなしくなった。

「高いですよ」

「いや、いいよ、あたしが悪いから」

「別に悪くないと思いますけど」

言ってから、やっぱりちょっとは悪い、と思う。僕たちは黙って歩く。新宿駅に向かう人たちの中を、流れに逆らって歩く。

毎朝歩いている、新宿駅から会社への地下道を思い出した。ある日、誰かに名前を呼ばれた気がして振り向こうとしたけれど、できなかった。あまりに人の流れの力が強く働いていて、振り返ってしまったら流れに逆らった首がそのまますぽんと胴体から抜けてしまいそうで。それに気づいて以来、ときどき今日はできるかも、とやってみるけれど、なぜかできない。もし振り返って歩き出すことができたら、今のこんな感じなのかもしれない。別になんでもないことで、ぬるっとした魚みたいに、誰にもぶつかることなく前に進んでいける。

パークタワーに着くまでに飽きていなくなるだろうと思っていたけど、女は黙ってついてきた。僕が相当機嫌悪そうに見えるのか、さっきまでとは打って変わって口をつぐんでいる。女のほうから勝手についてきたのに、これでは僕がむりやり連れて歩いているような感じだ。甲州街道の向こう側に現れる、いかにも女の人が好きそうな文化女子大のクリスマスツリーや、青くライトアップされたピラミッドを見ても、彼女は何も言わなかった。

　駅から離れるほど人が少なくなってきて、車の速度が速くなった。途中から、周りの高いビルに阻まれてパークタワーは見えなくなった。左手に見えてきた首都高速の出口を示す緑と紫のライトが、街灯に混じって道路に光を落としている。

　何本目かの横断歩道を渡って少し行くと、パークタワーのエントランスに着いた。青ではない、白っぽい電飾が並木を彩っている。こういうのが、京子ちゃん好みの電飾なのかもしれない。止まって見上げると、駅から見えたあの三角屋根は見えなくて、ふつうの高層ビルみたいだった。

「あ、ここ?」

　少し後ろから女の声が聞こえた。一瞬彼女がいることを忘れていた。

「この上でお茶、飲むの?」

　首をほとんど直角に折り曲げてビルを見上げ、ぽかんと口を開けている。バンダナをかぶった頭に、ダウンジャケットの下から黒い前掛けが見えている。間違って手ぶらでてんやものを配達に来てしまった人みたいだ。

「いいです。もう帰りましょう」

僕はマフラーをはずして、回れ右をして、駅に向かって歩き始めた。女はえ、え、と言いながらまたついてくる。この女は、僕以上に自分の意思というものが薄いのかもしれない。

「なんだよーせっかく来たのに帰るの？　意味わかんない」

「気が済んだ」

「このビルさ、三角が三つ並んでるやつでしょ？　知ってる。都庁のほうがかっこよくない？」

「どっちもいいんじゃないですか」

南口の坂が見えてきたころから、また人が多くなって、その流れにのる。追い風が吹いているみたいに歩きやすい。

「ねえねえ、西口のほう行かない。占いでもしようよ」

「占いはちょっと」

「じゃあラーメンでも食べよう」

「お腹すいてません」

「あんた、ことごとく、って感じだね」

南口には行かず、角を曲がって京王百貨店沿いに歩く。ロータリーの向こうに見えるヨドバシカメラはもう閉店している。その前には高速バスが何台か止まっていて、大きな荷物を抱えた若い人が何人も地べたに座り込んでいた。

　小田急百貨店の一つ一つの窓が、青と紫にほんのりと光っている。その中に、オレンジ色の雪の結晶の形が浮かび上がる。若者二人がドラムとベースでジャズを弾いている。そこから少し離れたところに、派手なチェック模様のスーツを着た外国人が、マリオネットをあやつっている。段ボールの家がある。占い屋の紙ランプが、駅前の歩道に点々と連なっている。屋台のラーメンのにおいと、お香のにおいがする。

「いろいろがいろいろだよね、このへんって」

　音楽に合わせて首を振りながら、女は言った。

　西口の正面に、大きな人だかりがあった。大きな吸殻入れが数個置かれただけの喫煙所で、人々が煙草を吸っているのだった。細い煙は人々の頭上ですぐに消える。女は「ちょっといい?」とダウンジャケットのポケットから緑のマルボロを取り出して、ライターで火をつけた。見ていると、僕にも一本差しだして、火をつけた。久々に吸う煙草はきついメンソールで、のどの奥まで吸えなかった。

　駅を背にして西のほうを見やると、すぐ向かいには昼、女に声をかけられたスバルビル前の横断歩道、コクーンタワー、工学院大学、それから僕の会社が入っているビルがある。十二階のフロアには、ぜんぶの窓に蛍光灯がともっている。そこを取り囲むようにいくつかの高層ビル、京王プラザホテルの一部、そして駅からまっすぐにのびるイチョウ並木。街灯に照らされて、今はどの葉もマーカーでひいたような蛍光イエローに光っている。

「あたし、ここ好きなんだ、この場所。世界の日本の、日本の中心のトーキョーの、トーキョーの中心の新宿の、新宿の中心の中心、て感じがして」

女が吸いこむたび、くわえた煙草の先で小さなオレンジ色が明るくなったり暗くなったりする。僕の煙草の先でも、人々の煙草の先でも、小さなオレンジ色が点滅する。そのずっと向こうでは、高層ビルのところどころについた航空障害灯が、呼びかけに応えるように赤くゆっくり点滅している。

日本の中心の東京の中心の新宿の中心の中心に、僕はいた。今、気づいた。

解説

野崎歓

青山七恵さんの小説は、いかにも透明感のある文章で綴られている。しかしそこには、密かなトリックが仕掛けられている。あるいは、ささやかながら重大なズレや、隔たりが含まれていて、それにより物語は、いわば異次元へと開かれているのだ。知らないうちに読者を生の深みに導いていく手腕が、『窓の灯《あかり》』に続いて見事に発揮された作品が『ひとり日和《びより》』である。

主人公がやっかいになる、「吟子さん」の家。住んでいるおばあさん同様、ごく地味な印象の平屋建てなのだが、これがなかなかくせ者だ。京王線の小さな駅のそばに建っているのに、駅から家にすぐには辿り着けないのである。

「この家は駅のホームの端と向かい合わせにあるくせに、わざわざ商店街のほうから回り道をしてこなくてはいけない。ホーム沿いに道はあるけれども、敷地が垣根で囲ってあるせいで、そこから入っていけないらしい」

いったいどんな位置関係になっているのかと、読者はだれしも、頭の中で地図を描いてみるだろう。そうやって、ぼくらの前に小説の空間が広がり出す。

家の縁側に立つと、電車の中の人と目が合うくらいだという。ところが「垣根とホームのあいだの小道は家の前で行き止まりになっていて、ときどき道慣れない人がやってきては、不思議そうにあたりを見回してもときた道を帰っていった」

垣根とホームの位置関係を想像しながら、こちらもまた、道慣れない人のようにあたりを見回す気分になる。近所の子どもたちが、垣根に突破口を開こうとして騒ぎ立てる場面もある。実際、せっかく駅に近いのだから、直接行けるようにしたほうが便利に違いない。

ところがまさに、一拍置いたこの距離感が何とも味わい深いのである。駅の近くにあるとしか見えないのに、まっすぐには至りつけない。どこか宙ぶらりんな地点に浮かぶ、バリアを張って人を遠ざけるかのような気配のある家。一種、隠れ里のような性格をもつ場所に、二十歳の主人公・知寿はさまよいこんだのだ。

もちろん、彼女自身はそんなことを考えてここにやってきたわけではない。高校を出たのに、進学も就職もせず、いつかは「いっぱしの人間」になりたいと思いながらも、進むべき道が見えてこない。たまたま、遠い親戚のおばあさんが一人で住んでいるというので、転がり込んだだけなのだ。

そこで知寿を出迎えたのはいったい何だったか。鴨居の上にずらりと並んだ、「立派な額縁に入れられた」猫の写真である。そんなものが飾られているせいで、「部屋全体が仏壇みたいに辛気くさく」、主人公はたじろぐ。家の主である吟子さん自身、若い知寿の目から見れば「あの人、もうすぐ死にそう、来週にでも」ということになる。身だしなみを小奇麗に整え、ボーイフレンドもいる吟子さんが、「死にそう」どころか実は人生の充実期を過ごしていることはやがて明らかになる。とはいえ、家に遊びにきた「ホースケさん」が電車で帰っていくのを、縁側から手を振って見送るとき、知寿はやっぱり「三途の川のあっちとこっちみたいだなあ」などと、いささか不謹慎な感想を抱かずにはいられない。

つまり、これは生と死のはざまに位置する家なのだ。吟子さんは、これまで猫相手ばかりではなく、幾多の別れを経験し、「三途の川」の向こうへ去っていく者たちを見送ってきたに違いない。そんなおばあさんの元に、何の考えもなくやってきた主人公の身の上にも、別れは次々と降りかかる定めなのだった。

付き合って二年半の相手と、最悪な形で別れたかと思えば、その後にできたボーイフレンドにも、たちまち愛想を尽かされてしまい、バイトも辞めてしまう。両親は早くに離婚し、一人娘の彼女は母親に育てられた。ところが、母親が中国へ旅立ち、中国人との再婚話が持ち上がる。つまり母娘のあいだにもまた、離別は進行していく。一見、淡いトーンにもかかわらず、日々これ別れ、といっても過言ではない、絶望と背中合わせの状況である。容赦ない別れのレッスンが、主人公に課せられているというべきか。いつの間にか、彼女の身近にはおばあさん一人しかいなくなってしまう。そして吟子さんとの暮らしにも、やがて終わりが訪れる。

「吟子さんだって、ゆくゆく去っていくんでしょ、と心の中で呟くと、逆に、行かないでよ、と自分が思っていることを認めたようで、老人にしか助けを求められない自分が情けなかった」

老人は、何も期待できない、期待するべきでない相手として、無意識のうちに貶められている。だが実は、老人こそは別れのレッスンを、若者には想像の及ばないほどの年月にわたって積んできたのである。夫の没後、一人で平屋建ての家を守り続けてきた吟子さんの暮らしぶり自体が、別離を常態とし、「ひとり日和」を生きる者の知恵を秘めている。

そうした知恵が、吟子さんから主人公に、ことさら教訓や指針として受け渡されるのではないところに、この作品の実に繊細な魅力がある。主人公は吟子さんを人生の先輩として崇めるのでも、自分の理想像とするのでもない。ただ単に、毎日、老人の作る薄味の料理を食べ、静かな会話を交わすだけだ。「この人は、わたしより五十年も長く生きている。その五十年の歴史をわたしが知ることは、たぶんないだろう」。埋めようもない隔たりを感じさせながら、老人はただそこにひっそりと生活している。

主人公が学ぶのは、そうした事実を大切にするということのみである。

その意味で余韻を残すのが、中国から戻った母と二人で、年末年始、ホテルで過ごす知寿が、大晦日の夜、吟子さんに電話を入れるくだりだ。一年のお礼を言おうと「もったいつけて」電話したのに、吟子さんは出ない。明くる元旦も同様で、ついに知寿はホテルを抜け出し、こっそり家に戻ってみる。吟子さんは外出していて留守。結局、年末年始を吟子さんがどう過ごしたのかはわからない。「電話をかけたり、家を見にきたことは言わないでおいた。年越しをどう過ごしたか、自分から言わないということは、知られたくない、ということかもしれない」

あれこれ詮索するのではなしに、わからない部分を尊重し、距離を保っておく配慮に、クールなようでいて、しかし確かな優しさが感じられないだろうか。

知寿は別に優等生ではないから、ときおり、おばあさん相手に意地悪な衝動に駆られたりする。そのことがユーモラスに告白されてもいる。とはいえ、彼女は吟子さんの存在を「個」として尊重する作法をしっかりと身につけた。そして吟子さんの方も、やはり決して干渉することなく、ほどよい距離を保ちながら、知寿を温かく受け容れていたのである。そのことがしみじみとわかってくるとき、小説は終盤を迎える。

「世界に外も中もないのよ。この世はひとつしかないでしょ」と、吟子さんは主人公にきっぱりと告げる。そして、「外の世界」への恐れを口にする知寿を、励ますともなく励ます。これはもう、言葉を超えた情感があふれ出すような、珠玉の名場面と呼びたい。それまで吟子さんはもっぱら、主人公に観察される対象だった。しかし吟子さんも知寿を、いつも静かに見守っていたのだ。視点が切り替わるその瞬間、小説全体が新たな輝きを帯びて立ち上がってくる。

それにしても、「知寿」という名前はこの主人公にいかにもふさわしい。いまどきの女の子としては、華美さや派手さがない、落ち着きを漂わせる名前ではないか。「寿」とはすなわち長寿だ。順風満帆とは行きそうにないけれど、きっと長生きして、生きる知恵を蓄えていくに違いないと思わせてくれる。

併録の短篇『出発』も、表題どおり、若者の新たな出発を描いて興味深い。新宿西口の会社に勤務する青年は、自分が「中心」という言葉を幾重にも重ねるのがふさわしいような（東京の中心、新宿の中心…）、特別な地点で仕事をしてきたことを、赤の他人に指摘されて発見する。周囲の現実に対する見え方が変わる瞬間が、ここでも鮮やかに捉えられている。これまで、自分はいったいどういう場所にいたのか。それを認識することが、青年に、次の場所をめざすための力を与える。

青山さんの作品は、あくまで慎ましい佇まいのうちに、試練に立ち向かう粘り強さと、他者を尊重する誠実さを備えている。その核には、現代の小説としてとても貴重な、ポジティヴな精神がある。青山さんの作品を読むたびに、心に灯のともるような気持ちになるのはそのためなのだ。

本書は二〇〇七年二月、単行本として小社より刊行されました。
初出　ひとり日和《びより》……「文藝」二〇〇六年秋号
出発……「文藝」二〇〇九年春号

ひとり日和《びより》

二〇一〇年 三 月二〇日 初版発行
二〇一五年 五 月二〇日 11刷発行

著　者　青山七恵《あおやまななえ》
発行者　小野寺優
発行所　株式会社河出書房新社
〒一五一-〇〇五一
東京都渋谷区千駄ヶ谷二-三二-二
電話〇三-三四〇四-八六一一（編集）
〇三-三四〇四-一二〇一（営業）
http://www.kawade.co.jp/

ロゴ・表紙デザイン　粟津潔
本文フォーマット　佐々木暁
本文組版　KAWADE DTP WORKS
印刷・製本　中央精版印刷株式会社

落丁本・乱丁本はおとりかえいたします。
Printed in Japan ISBN978-4-309-41006-7

河出文庫

青春デンデケデケデケ
芦原すなお
40352-6

1965年の夏休み、ラジオから流れるベンチャーズのギターがぼくを変えた。"やーっぱりロックでなけらいかん"——誰もが通過する青春の輝かしい季節を描いた痛快小説。文藝賞・直木賞受賞。映画化原作。

A感覚とV感覚
稲垣足穂
40568-1

永遠なる"少年"へのはかないノスタルジーと、はるかな天上へとかよう晴朗なA感覚——タルホ美学の基をなす表題作のほか、みずみずしい初期短篇から後期の典雅な論考まで、全14篇を収録した代表作。

オアシス
生田紗代
40812-5

私が〈出会った〉青い自転車が盗まれた。呆然自失の中、私の自転車を探す日々が始まる。家事放棄の母と、その母にパラサイトされている姉、そして私。女三人、奇妙な家族の行方は？　文藝賞受賞作。

助手席にて、グルグル・ダンスを踊って
伊藤たかみ
40818-7

高三の夏、赤いコンバーチブルにのって青春をグルグル回りつづけたぼくと彼女のミオ。はじけるようなみずみずしさと懐かしく甘酸っぱい感傷が交差する、芥川賞作家の鮮烈なデビュー作。第32回文藝賞受賞。

ロスト・ストーリー
伊藤たかみ
40824-8

ある朝彼女は出て行った。自らの「失くした物語」をとり戻すために——。僕と兄アニーとアニーのかつての恋人ナオミの3人暮らしに変化が訪れた。過去と現実が交錯する、芥川賞作家による初長篇にして代表作。

狐狸庵交遊録
遠藤周作
40811-8

遠藤周作没後十年。類い希なる好奇心とユーモアで人々を笑いの渦に巻き込んだ狐狸庵先生。文壇関係のみならず、多彩な友人達とのエピソードを記した抱腹絶倒のエッセイ。阿川弘之氏との未発表往復書簡収録。

著訳者名の後の数字はISBNコードです。頭に「978-4-309」を付け、お近くの書店にてご注文下さい。